絶体絶命！危険生物の世界

3分間サバイバル

あかね書房

もくじ

01

少年探偵《たんてい》ポロロくん

危険《きけん》↓対処《たいしょ》？

「ははは、天才少年探偵《たんてい》ポロロよ、残念だったな。きょうがおまえの人生最後の日だ。おまえにはさんざん苦しめられたからな。ふつうの殺《ころ》し方じゃつまらない。楽しいやり方を用意させてもらったよ。」

怪人《かいじん》99面相はいやらしく笑うと、ぼくと助手のアーサーを小屋に押《お》しこみ、ドアを閉《し》めた。

周囲《しゅうい》は深い森。助けを求めても、声はだれにも届《とど》かないだろう。

だけど、この百戦錬磨《れんま》の少年探偵《たんてい》を見くびってもらっちゃ困《こま》る。

「なんだ、こんなボロ小屋。すぐにぶっこわして脱出《だっしゅつ》してやる。まずは、このなわを切って……。」

いせいよく言いかけたのを、アーサーがさえぎった。

「ポロロくん、水が出てきたよ!」

アーサーの視線《しせん》の先を見ると……室内のパイプから、チョロチョロと水が流れこんでくる。

「くそ! おぼれ死にさせるつもりか?」

ところが、ぼくらの足首あたりまでたまると、水は止まった。

だが、そのかわりに。パイプから、トゲトゲの……50センチほどもあるヒトデがぞくぞくと入ってきたんだ。

「アーサー、さわるな。これは毒《どく》を持つオニヒトデだ!」

ぼくは、口を使ってアーサーのブーツの中から折りたたみナイフを取り出すと、体をしばり上げていたなわを切った。もちろんアーサーのも。さあ、これで体が自由になった!

しかし……。

床《ゆか》には、今やオニヒトデがひしめき合っている。20匹《ぴき》はいるだろうか。ああ、ブーツをはいててよかった。ぼくは青くなっているアーサーに言った。

「だいじょうぶだ。こいつらはおそってきたりはしない。ただ、さわったら毒針《どくばり》が刺《さ》さる。刺《さ》さったら死ぬやつだからな……絶対《ぜったい》にしりもちつくなよ。」

「う、うん。わかったよ……。」

「そうだ。なんのためにナイフを持ってるんだよ！」

ぼくはナイフをオニヒトデにつき立てて、2つに切った。

「アーサー、こうやってヒトデを切るんだ。手がトゲにさわらないように気をつけて……そうそう。」

ぼくたちは腰《こし》をかがめ、トゲにふれないよう気をつけながらオニヒトデを次々《つぎつぎ》に切りさいた。

ところが……なんてことだ。

まっぷたつにしたのに、オニヒトデは何事もなかったように動き回っている。

そうか、こいつら……再生能力《さいせいのうりょく》があったのか。

やっつけるどころか……敵《てき》をわざわざ倍に増《ふ》やしてしまったんだ！

こいつらを殺《ころ》す方法はないのか？

ぼくは頭をかかえた。

天才少年探偵《たんてい》ともあろうものが、こんなところでオニヒトデの毒《どく》にやられて死んでしまうのか⁉

ナイフで体を2つに切ったのに、オニヒトデは元気に動いている。オニヒトデをやっつけるにはどうすればいいのだろうか。

解説《かいせつ》　オニヒトデ

ポロロがヤケクソで、オニヒトデをさらに細かく切りさくと、オニヒトデは動かなくなった。2人はオニヒトデを切りきざみ、小屋の窓《まど》から見事に脱出《だっしゅつ》した。

ヒトデは体を半分に切られても、別々《べつべつ》に新しいうでが再生《さいせい》する。敵《てき》につかまると自らうでを切って逃《に》げることもあり、たった1本のうでからでも新しい体を再生《さいせい》できる。ただし、体の中心を切断《せつだん》し、4つ以上に切れば死んでしまうといわれている。

オニヒトデの体長は30〜60センチほど。10数本もあるうでにびっしりとトゲが生えていて、見るからにおそろしい。トゲの表面には猛毒《もうどく》があり、刺《さ》さると激《はげ》しく痛《いた》む。痛《いた》みが長く続いたり、頭痛《ずつう》や吐《は》き気などの症状《しょうじょう》が出ることも。人によってはアナフィラキシー・ショック（過度《かど》なアレルギー症状《しょうじょう》）を起こして死亡《しぼう》するケースもある。ハチなどと同様、複数《ふくすう》のオニヒトデに連続して刺《さ》されたらとても危険《きけん》だ。もし、刺《さ》されてしまった場合は、トゲを取りのぞき、ただちに病院へ。

02

おかしな魚

危《き》険《けん》↓なぜ？

ときは1774年、南太平洋の島にて。

イギリス人の探《たん》検《けん》家《か》、ジェームズ・クック船長は、南極を目指す航《こう》海《かい》のとちゅうで発見したニューカレドニアに滞《たい》在《ざい》していた。ニューカレドニアとは、クック船長がつけた名前だ。海から島をながめたとき、「山の多いスコットランド（カレドニアと呼《よ》ばれる地方）に似《に》ているな」と思って名づけたのだ。

「父さん、すぐ食事にしませんか？」

その日、島をさんざん歩き回ってから船にもどってくると、息子のゲオルクは真っ先にクック船長に言った。

「まったく賛成《さんせい》だね。わたしもおなかがペコペコだよ。そうだ。あの変わった形の魚を食べようじゃないか。」

クック船長が言ったのは、仲よくなった島民にもらった魚のことである。大きくて、口の下からおなかにかけてたっぷりふくらんでいる。言葉は通じないものの、クック船長たちは島民たちと友好的にコミュニケーションをはかっていた。

ところが、その魚を食べようとすると、乗船していた画家が反対した。彼《かれ》は、このおもしろい魚を写生している最中だったのだ。

「絵が完成するまでガマンしてくださいよ。」

「そうか。急いでくれよ。わたしは今、むしょうにこいつが食べたいんだ。」

すると、画家は足もとにあるバケツを示《しめ》した。

「そこに入ってる肝臓《かんぞう》と卵巣《らんそう》なら食べていいですよ。身の部分はもうちょっと待ってください。」

「わかった。じゃあ、もらっていくよ。」

その日の夜。

クック船長は、猛烈《もうれつ》な下痢《げり》と嘔吐《おうと》に苦しんでいた。

「あれだ。あの魚のせいにちがいない……。」

あの魚の内臓《ないぞう》をいっしょに食べたゲオルクと、ほかの船員にも同じ症状《しょうじょう》が起こっていたのだから、それはまちがいなく思われた。

「腐《くさ》ってはいなかったと思うんだけど。」

ゲオルクも青い顔をしている。

（いったいなんなんだ、これは。はだがほてって焼けるように熱い。それでいてゾクゾク寒くてたまらん。指がしびれるし、体が思うように動かない。もしかして死んでしまうんじゃないか。）

そんな恐怖《きょうふ》におびえ、ひんぱんにおそってくる腹痛《ふくつう》と吐《は》き気のためにウトウトしてもろくに眠《ねむ》れず……クック船長たちは長い夜を過《す》ごした。

（ああ、なんとか生きているな。）

船室の床《ゆか》に倒《たお》れこんで眠《ねむ》っていたクック船長は、翌朝《よくあさ》目を覚ますとホッとした。

起き上がろうとするとフラフラするし、全身の感覚が奇妙《きみょう》な感じだったが、峠《とうげ》はこしたようだ。

「あっ。」

クック船長は、船で飼《か》っているブタが横になっているのに目をとめた。何か寝《ね》ているのとはちがう雰囲気《ふんいき》が感じられたのだ。

「死んでいる……。」

このブタは、船長たちの残り物を食べていたはずだ。

（しかし、死んでしまうなんて？　あのおかしな魚のせいなのか？　魚を食べて死ぬなんて聞いたこともないが……。）

クック船長は、とりあえず昨晩《さくばん》からの症状《しょうじょう》をできるだけくわしく記録しておこうと考えた。

「変わった形の魚」の内臓《ないぞう》を食べたクック船長たちはひどい下痢《げり》や嘔吐《おうと》などの症状《しょうじょう》に苦しみ、ペットのブタは死んでしまった。この魚の正体は何だろうか。

解説《かいせつ》　フグ

クック船長たちが食べたのは猛毒《もうどく》を持つフグだったのだ。これは実話を元にしたもの。クック船長は1700年代後半に3度の航海《こうかい》に出かけ、特にニュージーランド・オーストラリア地方の調査《ちょうさ》で知られる探検家《たんけんか》だ。危《あや》うく死にかけたクック船長は、フグ毒《どく》の中毒症状《ちゅうどくしょうじょう》について初めてくわしい記録を残した人物といわれる。

一般的《いっぱんてき》に、フグは肝臓《かんぞう》と卵巣《らんそう》に強い毒《どく》を持つ。一部、身にも毒《どく》を持つフグもいる。日本では、フグは高級食材として愛されているが、試験に合格《ごうかく》して免許《めんきょ》を得《え》た人しか調理することはできない。フグの毒《どく》「テトロドトキシン」は強力で、0.5〜1ミリグラムで致死量《ちしりょう》に達する。有毒《ゆうどく》な部分はほかの生ゴミとは別に厳重《げんじゅう》に保管《ほかん》されたのち、専門業者《せんもんぎょうしゃ》の手で処理《しょり》されるのだ。食べてしまった場合はできるだけ早く吐《は》き出し、すぐに病院へ向かうこと！　解毒《げどく》の方法が見つかっていないため死亡《しぼう》するケースも多い。もし海で釣《つ》り上げても素人《しろうと》は調理してはいけない。

ちなみにフグの仲間でもハコフグ科やハリセンボン科のものは無毒《むどく》である。

03

幽霊船《ゆうれいせん》

危険《きけん》↓なぜ？

１００年ほど前のこと。

折れたマストにやっとのことでまとわりついているボロボロの帆《ほ》が、風にゆれている。真っ黒な海の上をただよう船を見つけた航海士《こうかいし》のマックスは思わず「あっ」と声をあげた。

「船長、あれを見てください。難船《なんせん》してるんじゃないでしょうか？」

「よし、近づいてみよう。」

船長は望遠鏡をのぞくと、重々《おもおも》しく言った。

その船は、ひどいありさまだった。船体はどこもかしこもひどくいたんでいる。そして、人の気配はなかった。

「うわっ、本物の幽霊船《ゆうれいせん》を見たのは初めてですよ！」

マックスは顔をひきつらせてふるえ上がった。

「嵐《あらし》にまきこまれたのかもしれん。よほど長く海をさまよっていたんだろうな。」

船長はパイプを口からはなすと、煙《けむり》を吐《は》き出した。

「よし、中を調べてみるか。」

すると、マックスはおびえた顔で船長のうでをつかんだ。

「待ってください。もしかしたら……伝染病《でんせんびょう》で全員死にたえたあとに海をさまよっていたのかもしれませんよ。」

「だが、死人の姿《すがた》がないじゃないか。もし病気だったら、死のまぎわまで、助けを求めるために甲板《かんぱん》にいてもおかしくないだろう？」

「じゃあ、海賊《かいぞく》におそわれて、さらわれたか海にほうりこまれたのかも。あ、でも……何か武器《ぶき》がありますよ。大砲《たいほう》にしては小さいし変な形ですけど。あれはなんでしょうかね？」

船長は考え深げにマックスの指さしたものを観察した。

「あれは大砲《たいほう》じゃないよ。ええと……そうだ、たしか火薬でモリを発射《はっしゃ》させる装置《そうち》だ。」

「モリ？　つまり漁船だったんですか？」

「うむ、わかったよ。この船に乗っていた人々《ひとびと》は、海に投げ出されたにちがいない。おそらく、あいつの怒《いか》りにふれて……。」


船長は、船に乗っていた人々《ひとびと》は何者かの怒《いか》りにふれて海に投げ出されたと推測《すいそく》した。この船にいったい何が起こったのだろうか。

解説《かいせつ》　クジラ

甲板《かんぱん》に備《そな》えつけられた、火薬でモリを発射《はっしゃ》する道具は「捕鯨砲《ほげいほう》」というもの。船長はこのことから、この船はクジラをとるための捕鯨船《ほげいせん》だと考えた。そして人々《ひとびと》がクジラをねらったものの、怒《おこ》ったクジラに反撃《はんげき》されたと推測《すいそく》したのである。

この船の人々《ひとびと》はマッコウクジラの群れを発見してねらい撃《う》ちしていた。すると、1頭のクジラが船に体当たりしてきたため船はダメージを受け、乗員たちはボートで脱出《だっしゅつ》するはめになったのである。この話は世界的に有名な『白鯨《はくげい》』という小説の元にもなった実話を参考にしたものだ。

マッコウクジラのオスは体長18メートル、体重は50トンにもなる。何もしないのにクジラのほうからおそってくることはないが、現代《げんだい》でも船とクジラが衝突《しょうとつ》し、船がこわれて沈没《ちんぼつ》する事故《じこ》はたびたび起こっている。哺乳類《ほにゅうるい》であるクジラが呼吸《こきゅう》するために海面に顔を出したときや、巨大《きょだい》な尾《お》びれをひるがえしたとき、船に当たって転覆《てんぷく》する、人が海にたたきこまれるなどのケースが報告《ほうこく》されている。

04

密猟者《みつりょうしゃ》①

危険《きけん》→対処《たいしょ》？

あんな仕事に手を出さなければよかったよ。趣味《しゅみ》で猟銃《りょうじゅう》によるハンティングをやっていたオレはうでを見こまれ、犯罪組織《はんざいそしき》にスカウトされた。多額《たがく》の報酬《ほうしゅう》にうっかり目がくらんで……オレはバカだったよ。

密猟《みつりょう》なんてよくないことだった。今は心から反省しているし、罪《つみ》を受けとめている。刑務所暮《けいむしょぐ》らしにも不満はない。何より生きているだけでありがたいとオレはつくづく思っているよ。本気で死ぬかもしれない経験《けいけん》をしたあとだからな。

「ふーん。密猟《みつりょう》って、どんな動物をねらうんだ？」

刑務所《けいむしょ》で一番仲のいいジョーが興味《きょうみ》しんしんにたずねてきた。

「オレがアフリカでねらってたのは主にライオンやヒョウ。毛皮とかはく製《せい》にして売るんだ。この仕事を始めたころはなんでもうまくいってて『天才ハンター』なんておだてられていい気になっていたな。」

「失敗したことはなかったのか？」

「ああ、あのサイに出会うまではな……。」

サイは絶滅寸前《ぜつめつすんぜん》と言われているが、いまだに裏《うら》の世界ではツノが高額《こうがく》で取引されてるんだよ。なんでも、ベトナムや中国ではツノの成分がどんな病気にも効《き》くって言われてるらしくて。だからサイをねらうヤツは多いんだが、命を落とした密猟者《みつりょうしゃ》もけっこういるそうだ。サイは体はデカいのに、足が速い。追いかけられたら車でも逃《に》げ切るのに苦労する。

あの日、オレは相棒《あいぼう》のケニーと2人で行動していたんだが……ケニーが弾《たま》を当てそこなったんだよ。ねらわれたとわかると、サイは猛《もう》スピードで突進《とっしん》してきた。オレはケニーが体当たりをくらってすっ飛ばされるのを見た。真正面からだったら、ツノに突《つ》かれて即死《そくし》だったろう。ケニーは悪運が強かったよ。骨折《こっせつ》だけですんだんだから。まあ、それがわかったのはあとの話さ。

オレは死にものぐるいで走った。木が多い場所だったからサイは通りにくくて、少しだけ人間のほうが有利だったと思う。でなきゃ、あっという間に追いつかれただろうな。

敵《てき》はデカいし、ツノとキバがあるし、足もとんでもなく速い。だけど、逃《に》げのびる可能性《かのうせい》はゼロじゃない。やっぱり考えることは大事だと思うよ。

ジョー、オレがどうやって助かったかわかるかい?

興奮《こうふん》したサイに追いかけられた主人公は、どうやって助かったのだろうか。

解説《かいせつ》 サイ

主人公は、とっさに木に登ったのだ。サイはさすがに木登りはできない。また、サイは耳や鼻はよいが、視力《しりょく》はよくないので、木に登ったりすると見失ってくれる可能性《かのうせい》がある。適当《てきとう》な木がなければ、見通しの悪いところにもぐりこむのがいいだろう。サイの弱点は体温調節が苦手なこと。追いかけっこが長期戦になると体力を消もうするので、勝ち目があるかもしれない。

アフリカにいるシロサイは、サイの中でも最大種。体長は3～4メートル、体重は3トン以上になるものも。それでいて時速50キロ以上のスピードで走るからすごい。地面の草をむしりとって食べる草食動物で、勇ましいツノは敵《てき》を撃退《げきたい》するためにある。上を向いたツノで敵《てき》をすくい上げるようにして投げ飛ばすのが得意技《とくいわざ》だ。ツノはなわばり争いや、オス同士《どうし》がメスをめぐって戦うときにも使われる。皮膚《ひふ》はぶ厚《あつ》く、よろいのようにかたいので、鋭《するど》いツメとキバを持つライオンでも、1匹《ぴき》でサイを倒《たお》すのはむずかしい。

05

密猟者《みつりょうしゃ》②

危《き》険《けん》↓なぜ？

サイの突進《とっしん》から命拾いしたところでやめておきゃあよかったんだが。初めて失敗したことで、オレはちょっとムキになったんだな。次は、大物をしとめて名誉《めいよ》ばん回してやろうと思ったんだ。

「信じられないな。そんな目にあってもこりないなんて。」

ジョーはあきれたように言った。

「うん。まあ、相棒《あいぼう》のケニーも命に別条《べつじょう》はなかったし。なんとなく自分はだいじょうぶだっていう根拠《こんきょ》のない自信があったんだよな。」

「そういうのを命知らずっていうんだよ。」

「まったくだな。密猟者《みつりょうしゃ》が野生動物保護区《ほごく》のレンジャーに見つかって、その場で射殺《しゃさつ》されたケースだってあるんだし。オレはいろんなことを知らなすぎたよ。」

オレはため息をついた。

「それで、おまえがつかまることになった一件《いっけん》は？」

「アフリカスイギュウだ。」


アフリカスイギュウを間近で見たときは、さすがのオレもゾッとしたよ。根もとからツノが左右に広がって、クルッとカーブした先は細くとがってて。スイギュウも、このツノで敵《てき》を引っかけて投げ飛ばすんだ。それに、スイギュウは群れで行動する。考えたあげく、オレは休憩中《きゅうけいちゅう》をねらうことにした。

アフリカスイギュウは朝や夕方に草を食べるために活動するが、日中は日の当たらないところでゴロゴロしている。

オレは、群れからはなれて眠《ねむ》っている1頭にねらいを定めた。スイギュウの頭の上には鳥がとまっている。のんびりといい夢《ゆめ》でもみてるんだろうなあ……と思ったんだが。

スイギュウは突然《とつぜん》立ち上がり、オレに向かってものすごい勢《いきお》いで突進《とっしん》してきたんだ。逃《に》げるひまはなかった。体当たりされてすっ転んだオレは、夢中《むちゅう》で目の前にあったスイギュウの前足をつかんだ。とっさに「ふみ殺《ころ》されないようにしよう」と思ったんだ。寝転《ねころ》がったままスイギュウの目をけとばして抵抗《ていこう》したところまでは覚えてる。

気がついたら全身がどこもかしこも痛《いた》くて……痛《いた》いってことは生きてるんだと思ったね。運がよかったことにスイギュウは逃《に》げていったらしく、オレは村人に助けられたんだ。

村人は親切にオレの手当てをしてくれたけど、「密猟者《みつりょうしゃ》はつき出さなきゃいけない」と言った。しかたないよな。

でも、村の人たちはみんな気さくだったよ。いろいろ聞いてきたから、オレがスイギュウにねらいをつけた様子《ようす》をくわしく話したら……笑って言ってたっけな。

「おまえは大バカ者だ。おまえがスイギュウをしとめられなかったのは、不運とかぐうぜんじゃない。ベテランのハンターなら絶対《ぜったい》やらないミスを2つおかしている」って。

主人公は、動物をよく知る人間ならやらないミスを2つおかしていたらしい。2つのミスとはどんなことだろうか。

解説《かいせつ》　アフリカスイギュウ

1つめは、休憩中《きゅうけいちゅう》のアフリカスイギュウに近づいたこと。アフリカスイギュウは、休んでいるのをじゃまされるとものすごく怒《おこ》るのだ。2つめは、頭の上に鳥がとまっている意味に気づかなかったこと。この鳥はウシツツキといって、スイギュウの体についた虫を食べる習性《しゅうせい》がある。あちこちつつかれているスイギュウが、熟睡《じゅくすい》しているわけはないのだ。主人公は一命をとりとめたが逮捕《たいほ》され、刑罰《けいばつ》を受けることになったのである。

アフリカスイギュウは、牛の仲間。体長は2〜3メートル、体重は1トンになるものも。水辺から遠くない草原や森林で暮《く》らし、群れをつくって行動する。群れになると、百獣《ひゃくじゅう》の王とされるライオンなども近づいてはこない。気性《きしょう》は荒《あら》く、ハンターに撃《う》たれてケガをするとさらにどう猛《もう》になりしゅうねん深くハンターを追いかけ回すことがある。大型《おおがた》のものではツノは1メートル以上になる。このツノを手に入れようとする人が多いが、保護地域《ほごちいき》での狩《か》りは違法《いほう》だ。

06

黄色い殺意《さつい》

危険《きけん》→なぜ？

オレには、にくくてたまらないヤツがいる。何年もそいつをうらみ続け、いつか殺《ころ》してやろうと考えるようになった。どうせなら完全犯罪《かんぜんはんざい》をねらおうと、オレは推《すい》理《り》小説を読みまくって殺人《さつじん》の研究を始めたんだ。手っ取り早く毒薬《どくやく》でも手に入らないかと考えていたころ、運命的な出会いが訪《おとず》れた。

その日、オレは友人にさそわれて、珍《めずら》しい動物の愛好家・Q《キュー》氏の家を訪《たず》ねていた。

「うわ、すごい！」

オレは、カラフルなカエルたちを見て驚《おどろ》いた。あざやかな黄色のカエル。赤い体に青い足のヤツ、黒い体に黄色の絵の具をぬりたくったようなヤツ、黒にオレンジの水玉もよう、青の体に黒のまだらもよう……。

手のひらにおさまるほど小さくて愛らしいが、これらはすべて毒《どく》を持つカエルだとオレは知っていた。毒《どく》キノコがそうであるように……ハデな色は敵《てき》に「毒《どく》があるから、おそうな」と伝える意味があるんだ。

「ね、美しいでしょう？　これはモウドクフキヤガエル。南米《なんべい》からとりよせて、ここで繁殖《はんしょく》させているんですよ。」

Q《キュー》氏はオレが興味《きょうみ》を持ったのがうれしいらしく、ニコニコしている。

モウドクフキヤガエル⁉　まさにこれについて本で読んだばっかりだ。どこかの国の狩猟民《しゅりょうみん》が、吹《ふ》き矢で狩《か》りをするのに使うやつだ。毒《どく》がにじみ出ている背中《せなか》に矢をこすりつけて、毒矢《どくや》を作るらしい。

これがあれば……。

オレがツヤツヤとした黄色いカエルをじっと見つめていると、Q《キュー》氏が言った。

「よほどその子が気に入ったんですね。よかったら1匹《ぴき》、お分けしましょうか？」

「本当ですか⁉」

そんなわけでオレはモウドクフキヤガエルを手に入れた。いろいろ調べてみると吹《ふ》き矢を当てるのはむずかしそうだったので、エアガンを改造《かいぞう》して針《はり》を発射《はっしゃ》できるようにした。オレは昔から工作が得意《とくい》なんだ。

カエルにはリリアンという名をつけてかわいがった。Q《キュー》氏に教わったように、エサにするコオロギの繁殖《はんしょく》も始めた。缶詰《かんづめ》も売っているが、新鮮《しんせん》なエサのほうがいいだろう。実行する日まで元気でいてもらわなきゃいけないからな。

オレは、確実《かくじつ》に命中できるように日々《ひび》練習を重ねた。人間の皮膚《ひふ》にちゃんと刺《さ》さるか心配だったので、焼き豚《ぶた》用のかたまり肉を買ってきて練習した。もちろんこの肉は捨《す》てるしかないから、ちょっとした散財《さんざい》だ。あ〜あ、もったいない。

そして、ついにこれを使う日がやってきた。

「頼《たの》むぞ、リリアンちゃん。」

オレは手袋《てぶくろ》をはめると、狩猟民《しゅりょうみん》のやり方にしたがって、針《はり》でカエルの背中《せなか》を何度もこすった。

オレは、たしかに命中させた。あいつが「おや？」というように首の後ろを手でなでていたから、まちがいない。

しかし、てっきりすぐに倒《たお》れるものと思っていたが、平気で歩いていく。オレはあとをつけるのをやめた。そのうちに効《き》いてくるのかなと思ったんだ。

ところが、あいつは死ななかった。

どうして失敗したんだろう。

主人公は、毒矢《どくや》を使う狩猟民《しゅりょうみん》をまねてモウドクフキヤガエルの毒《どく》が分泌《ぶんぴつ》される背中《せなか》に針《はり》をこすりつけた。毒針《どくばり》は命中したのに、なぜ死ななかったのだろうか。

解説《かいせつ》　モウドクフキヤガエル

モウドクフキヤガエルの毒《どく》は、自然に作られるものではない。モウドクフキヤガエルなど「ヤドクガエル」の仲間は南米《なんべい》に生息しているが、自然界で毒《どく》のあるシロアリやダニなどを食べることで毒《どく》を体にとりこみ、皮膚《ひふ》から分泌《ぶんぴつ》している。つまり、毒《どく》のないエサを食べているモウドクフキヤガエルはまったく危険《きけん》がないわけだ。日本国内でもヤドクガエルはペットショップで手に入る。もちろん人工的に飼《し》育《いく》されているので毒《どく》はない。

赤、青、黄色などあざやかな色のヤドクガエルは世界中に200種類《しゅるい》以上いる。もともと、狩猟民《しゅりょうみん》が矢にこの毒《どく》をぬって狩《か》りをしたことからこの名がついた。体長3〜5センチのものが多く、まるでオモチャのようだ。

身近なヒキガエル、アマガエルなども体表から毒《どく》を出すので要注意。カエルにさわった手で目や口をこすったりするとかぶれや炎症《えんしょう》を起こす場合がある。命にかかわる毒《どく》ではないが、最悪の場合、失明のおそれもあることは覚えておこう。

07

裏《うら》切《ぎ》り者

危《き》険《けん》↓なぜ？

昔むかしのこと。

ムフタール王は1人、部屋で日記帳にペンを走らせていた。王といっても、彼《かれ》はまだ15歳《さい》。ついこの間、父が急死したために王座《おうざ》についたばかりだ。父は、王政《おうせい》に反対する何者かの手で毒殺《どくさつ》されたというのが、もっぱらのうわさである。新しく王になったムフタールの命もねらわれていると考えられており、彼《かれ》は家臣たちによって宮殿《きゅうでん》の奥《おく》のほうの部屋に押《お》しこめられている。

「毎日たいくつでしょうがない。家来たちがわたしのことを思って、部屋から出さないようにしているのは理解《りかい》している。だが、わたしの中には疑《うたが》いの気持ちもある。わたしをこんな目立たない部屋に押《お》しこめているのは、『作戦』なのではないか？　わが父も、たくさんの家来たちに厳重《げんじゅう》に守られていたはずなのだ。もしかしたら、家来の中に裏切《うらぎ》り者がいるのではないだろうか。」

ここまで書いたムフタールは、ノックの音であわてて日記帳をとじた。

「ムフタール様。シャラフでございます。」

「シャラフか。入りたまえ。」

ムフタールは、忠実《ちゅうじつ》な家臣であるシャラフをむかえ入れた。

「ムフタール様の好物をお持ちしましたよ。」

シャラフは、イチジクがたくさん入っているカゴをテーブルの上に置くと、部屋のカギをかけた。

「おお、これはうまそうだ。さっそくいただくよ。」

ムフタールはイチジクを1つ取り上げた。ところが、そのときイチジクの間から何かが姿《すがた》を現《あらわ》し、テーブルの上に飛びおりたのだ。

ムフタールは悲鳴をあげた。

「うわーっ！」

それは、見たこともない生き物だった。体長は10センチほどで全身が黄色っぽいが、形はザリガニに似《に》ている。2つのハサミをふり立て、クルリと巻《ま》いたしっぽをゆらしながら8本の足を使って歩いている。

「おい！　シャラフ、こいつをなんとかしてくれ！」

ムフタールはイチジクをほうり出して、窓《まど》ぎわに体を寄《よ》せた。ムフタールは、幼《おさな》いころにカニに指をはさまれて以来、ハサミがこわくてしょうがない。ナイフは使えても、いまだにハサミは持つことさえできないのだ。

「おまかせください！」

ムフタールが赤んぼうのときから世話役をつとめているシャラフが、それを知らないわけがない。シャラフはすぐにムフタールのそばにやってくると、素手《すで》でそいつをたたこうとした。

「あっ、いたた……！」

シャラフは手を押《お》さえながらしゃがみこんだ。

「だいじょうぶか、シャラフ！」

ムフタール王は、心配そうにさけんだ。今やその不気味なものは、自分のほうにハサミを向けている。

「面目ありません。ハサミから毒《どく》が回ったみたいで……立ち上がれないんです。」

「なんだって⁉」

（なんてことだ。シャラフがやられてしまった。わたしを助けようとしたばかりに……。）

ムフタール王は、勇気をふるい立たせた。

（ええい。わたしは王なんだ。わたしが立ち向かわなくてどうする！）

シャラフが、苦しそうに顔をゆがめながら言った。

「ムフタール様、しっぽを持ってつまみ出してください！」

だが、そいつはすばしこくて、後ろに回ろうとしてもすぐにクルリと回転し、こっちにハサミを向けてくる。ムフタールが苦心していると……。

ドン　ドカッ　バキッ！

大きなおので、外からドアが破《やぶ》られた。

ドアに開いた大穴《おおあな》から、右手におのをかついだ男が入ってきた。その男――やはり家来の1人であるアブドは、おのをテーブルの上に振《ふ》り下ろし、一瞬《いっしゅん》で謎《なぞ》の生き物を絶命《ぜつめい》させた。そして2つに割《わ》れたテーブルの下じきになったシャラフの顔の前に、ギラギラ光るおのの刃《は》をつきつけた。

「ムフタール様、これはオブトサソリという猛毒《もうどく》を持つサソリですよ。シャラフはわざとサソリを持ちこんであなたを殺《ころ》そうとした裏切《うらぎ》り者です。」

「言いがかりだ！」

シャラフがどなると同時に、ムフタールも口を開いた。

「いや、シャラフは体を張《は》ってわたしを助けてくれたんだ。」

しかし、アブドは表情《ひょうじょう》ひとつ変えず、冷静に言い放ったのだ。

「わたしは、前からシャラフが疑《うたが》わしいとにらんでいました。だから、ドアにぴったりくっついて……シャラフの言ったことはこの耳で全部聞いていたんですよ。」

アブドは、シャラフがサソリを使って王を殺《ころ》そうとしたと言う。そう確信《かくしん》した理由はシャラフの言葉にあるようだ。シャラフは、どうやって王をおとしいれようとしたのだろうか。

解説《かいせつ》　オブトサソリ

シャラフはケガをしたふりをして、ムフタールにサソリを始末させるようにしむけた。彼《かれ》は「ハサミから毒《どく》が回った」と言ったが、これはウソ。また、オブトサソリはしっぽに毒針《どくばり》があるので、シャラフの言う通りにしていたら、ムフタールは毒《どく》針《ばり》に刺《さ》されて命を落としていただろう。

サソリは、昆虫《こんちゅう》や小動物をハサミで押《お》さえ、しっぽの針《はり》から毒《どく》を注入し、弱ったところで捕食《ほしょく》する。人間を死にいたらしめるほどの猛毒《もうどく》を持つサソリは少ないが、最強の毒《どく》を持つのが北アフリカや中東などの砂地《すなじ》にいるオブトサソリだ。刺《さ》されると激痛《げきつう》ののち、発熱や呼吸困難《こきゅうこんなん》などの危険《きけん》な症状《しょうじょう》を引き起こす。体長は10センチ前後と小さく、動きがすばやい。動く相手に反応《はんのう》するので、サソリに出会ったときは静かにはなれよう。サソリは視力《しりょく》はよくないが、振動《しんどう》で相手の動きを感知するのだ。

08

闇《やみ》にうかぶ影《かげ》

危《き》険《けん》↓なぜ？

インドのとある町にて。

アレックスは、家の前に集まってきた近所の人たちを前に悲しみにくれていた。彼《かれ》のひざの上には、すでに息絶《いきた》えた愛犬が横たわっている。

「朝早く起きて、散歩に行こうと思ったら死んでいたんだ。いったいだれがこんなことをしたんだろう。」

犬はかわいそうに、おなかを引きさかれている。

「この傷《きず》はナイフじゃないだろう。もしかして動物のしわざじゃないか？」

「動物だって……？」

みんなは顔を見合わせた。

どんな動物が現《あらわ》れたのか、だれも見当がつかなかった。

「もしかして、われわれがおそわれる可能性《かのうせい》もあるな。」

だれかが言うと、人々《ひとびと》はだまりこんだ。


アレックスの犬が殺《ころ》されたあとも、不気味な事件《じけん》は続いた。道ばたで、立て続けに死んだカラスやイノシシが見つかったのだ。この住宅地《じゅうたくち》を、夜中に得体《えたい》の知れない猛獣《もうじゅう》がうろついていることは確《たし》かなようだ。

そして、ある日のこと。

ニールおじさんは林の近くで、血のあとを見つけた。それは点々《てんてん》と、林の中に続いている。

ニールおじさんが仕事仲間を集めて血痕《けっこん》をたどっていくと……。

「うわっ、なんだこれは⁉」

「シカだ……。」

木の枝《えだ》に、小柄《こがら》なシカの死体が引っかかっていたのである。

「なんであんな高いところに？」

みんなは首をかしげた。

「やっぱり猛獣《もうじゅう》じゃなくて、人間がやったんじゃないのか？　動物をおもしろ半分に殺《ころ》す犯罪者《はんざいしゃ》の話を聞いたことがあるぞ。」

ニールおじさんは、シカをながめながらちょっと考えて口を開いた。

「いや、やっぱりあれは動物のしわざだよ。ともかくここにいたら危《あぶ》ない。すぐに帰って手を打たなくては。」


ニールおじさんは、町をうろつく危険《きけん》な動物が何かわかったようだ。ヒントは夜行性《やこうせい》であること、それから木の上に獲物《えもの》をぶら下げること。その正体はなんだろうか。

解説《かいせつ》 ヒョウ

住宅地《じゅうたくち》をうろついていた動物の正体はヒョウである。木登りが得意《とくい》なヒョウは獲物《えもの》を木の上にかくす習性《しゅうせい》がある。地上で獲物《えもの》を食べていると、ライオンなど自分より大きい動物に横取りされてしまうことがあるからだ。ニールおじさんはこのことから、住民をおびやかしている動物がヒョウだと推測《すいそく》し、警察《けいさつ》に報告《ほうこく》したのである。

インドでは、近年も人間の生活圏《せいかつけん》にヒョウが出没《しゅつぼつ》する事件《じけん》が起こっている。これは人間が都市部を広げ、野生動物の生息地に侵入《しんにゅう》していることが原因《げんいん》である。自然保護官《しぜんほごかん》はヒョウをワナにかけたり、麻酔銃《ますいじゅう》を使うなどして殺《ころ》さずに捕獲《ほかく》し、野生動物の保護区《ほごく》に放す活動をしているという。

ヒョウはインド、中央アジア、アフリカや中国大陸などに生息し、草食動物を捕《ほ》食《しょく》する。人間を食べることはないが、遭遇《そうぐう》したら飛びかかられる可能性《かのうせい》は高い。体長は2メートル、体重は80キロ程度《ていど》。音もなくしのびよる、優雅《ゆうが》なハンターだ。

09

不気味な侵入者《しんにゅうしゃ》

危険《きけん》↓なぜ？

ああ、充実《じゅうじつ》した旅行だったなぁ。

3週間ぶりに帰国したオレは、アフリカ滞在中《たいざいちゅう》のできごとを思い出していた。オレは和太鼓《わだいこ》の演奏家《えんそうか》だ。この3週間、アフリカのミュージシャンたちといっしょに、毎日のようにライブのステージをくり広げてきた。セネガル、ザイール、ケニア、タンザニア……各国で友だちもたくさんできた。「おまえは最高だな！　オレの家に来いよ」なんて、知り合ったばかりの人の家に泊《と》まらせてもらったり。

そういえば……。

オレはT《ティー》シャツをめくり上げて、わき腹《ばら》を見た。赤く腫《は》れた豆粒大《まめつぶだい》くらいの発疹《ほっしん》が1つ。真ん中がプクンとふくれている。最初はニキビか吹《ふ》き出ものかと思ったんだけど、こんなとこにはできないはず。けっこう大きいし、ちょっと痛《いた》む。うみを出しちゃえば治るかな。オレは、そこを指で強くつまんで押《お》し出そうとした。中心から透明《とうめい》な液体《えきたい》が出て、それから白くて細長いものがポトンと落ちる。

「うわ――――っ！」

それは、1センチほどの虫だったのだ。

なんだこれ！　気持ち悪い！

オレは細長い虫をビニール袋《ぶくろ》に入れると、急いで病院に行った。

しばらく待たされたあと、医者が告《つ》げた虫の名前は衝撃的《しょうげきてき》なものだった。

「これはヒトクイバエの幼虫《ようちゅう》ですね。」

「ヒトクイバエ……!?」

背《せ》すじがゾッとした。

「あなたはアフリカから帰ってきたばかりですよね。ヒトクイバエはアフリカにいて、卵《たまご》を哺乳類《ほにゅうるい》の体に産みつけるんです。あるいは、不潔《ふけつ》な場所に産みつけられた卵《たまご》から育った幼虫《ようちゅう》が、哺乳類《ほにゅうるい》の体に侵入《しんにゅう》する場合も……。」

オレはあわてて言った。

「でも、オレが泊《と》まった宿や家はどこも清潔《せいけつ》でしたよ。そうそう、ボビーっていうミュージシャンなんかすごくきれい好きで。洗濯《せんたく》したての、まだ太陽のにおいがするシーツをベッドにしいてくれたくらいで。それから……。」

「なるほど。」

医者はペンを置いて言った。

「そんなケースも学会の報告書《ほうこくしょ》で読んだことがあります。もしかしたら、原因《げんいん》は洗《せん》濯《たく》したばかりのシーツにあったかもしれません。」

医者は、主人公がヒトクイバエの幼虫《ようちゅう》に侵入《しんにゅう》された原因《げんいん》が「洗《せん》濯《たく》したばかりのシーツ」にあったという。どんな理由が想像《そうぞう》できるだろうか。

解説《かいせつ》　ヒトクイバエ

ヒトクイバエは、アフリカに生息するハエだ。ヒトクイバエが卵《たまご》を人間などの哺《ほ》乳類《にゅうるい》の動物に産みつけると、卵《たまご》からかえった幼虫《ようちゅう》は皮膚《ひふ》にもぐりこみ、皮膚組織《ひふそしき》を食べて成長するのだ。主人公は自分で幼虫《ようちゅう》を出したが、約8日ほどすると皮膚《ひふ》を破《やぶ》って出てきてサナギになる。その後の後遺症《こういしょう》などはないが、患部《かんぶ》はとても痛《いた》む。主人公の場合は幸い1か所だったが、複数《ふくすう》か所の場合はかなりの苦痛《くつう》になるようだ。なにしろ、皮膚《ひふ》の下を食べられているのだから……。

主人公のケースでは、ヒトクイバエが外に干《ほ》してあったシーツに卵《たまご》を産みつけており、寝《ね》ている間に孵化《ふか》した幼虫《ようちゅう》が体に侵入《しんにゅう》したと考えられた。外に干《ほ》した洋服についた卵《たまご》が原因《げんいん》となることは現地《げんち》では知られていて、ヒトクイバエがいる地域《ちいき》では予防《よぼう》のため下着にもアイロンをかけるそうだ。卵《たまご》や幼虫《ようちゅう》は熱によって死んでしまうからである。日本にヒトクイバエはいないが、洗濯《せんたく》ものに虫がつくことはよくあるので、外干《そとぼ》ししたものはよくはたく習慣《しゅうかん》をつけよう。

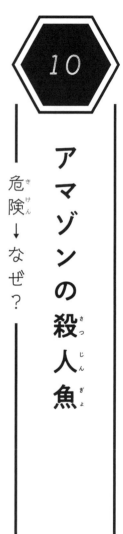

10

アマゾンの殺人魚《さつじんぎょ》

危険《きけん》↓なぜ？

1980年代、南アメリカのとある病院にて。

メンデスが報告書《ほうこくしょ》を書いていると、同僚《どうりょう》のクラークがコーヒーを運んできた。

「メンデス先生、遅《おそ》くまでお疲《つか》れさまです。おや、この書類《しょるい》は……ソブラル・サントス号の件《けん》ですね？」

メンデスはうなずくと湯気の立つコーヒーをすすり、くるりとイスを回してクラークのほうを向いて、彼《かれ》にもイスをすすめた。ちょうどだれかと話したい気分だったのだ。

「いや、本当に聞いたこともないようなひどい事件《じけん》だ。200人以上も死者が出てしまうなんて。」

発端《ほったん》はアマゾン川の船着場に停泊《ていはく》していた客船、ソブラル・サントス号の故障《こしょう》だった。客船がどんどんしずみ始めたため、乗員と乗客はやむをえず岸まで泳ぐことになった。船には400名ほどの人が乗っていたが、そのうち生きて岸にたどり着いたのは半分以下だったのである。

メンデスは報告書《ほうこくしょ》に視線《しせん》を落とした。

「この事故《じこ》が起こったのがアマゾン川でなければ、こんなにたくさんの人が命を落とすことはなかったのにな。生きたまま内臓《ないぞう》を食われるなんて、どんなに苦しいだろう。」

クラークはゴクリとつばを飲み、思い切ってたずねた。

「ということは、やっぱりピラニアにやられたんですか？」

「いや、あのあたりにはピラニアはいなかった。それよりもっとたちの悪いカンディルがたくさんいたんだ。」

「カンディル？　それは魚ですか？」

クラークは「カンディル」という名前を知らなかった。

「そういえばクラーク先生は引っこしてきたばかりでこの地域《ちいき》のことをあまり知らなかったね。アマゾン川の危険生物《きけんせいぶつ》といえばピラニアが有名だが、じつはカンディルのほうがもっとおそろしいんだよ。」

クラークはゾッとした。鋭《するど》い歯をむき出しにしておそいかかってくるピラニアよりおそろしいカンディルとはどんな魚なのだろうか。

「これがカンディルだ。体長は10センチくらい。」

メンデスが差し出した写真を、クラークはじっと見つめた。なんだかドジョウみたいだ。頭部はつぶしたように平べったいし、ひょろ長くてとても強そうには見えない。

「ずいぶん小さいんですね。こんな魚がどうやって人を食べるのか想像《そうぞう》もつきませんが。」

するとクラークは、顔をしかめてこう答えたのだ。

「小さくて細長いからこそできる攻撃方法《こうげきほうほう》なんだよ。」

川を泳ぐ人々《ひとびと》におそいかかり、死にいたらしめたカンディルは全長10センチくらい。「小さくて細長いからこそできる攻撃《こうげき》」とはどんなものだろうか。

解説《かいせつ》　カンディル

カンディルはアマゾン川に生息するナマズの仲間だ。この話に登場するトリコミュクテルス科のカンディルは、小さな体を利用して大きな魚のエラから体に侵入《しんにゅう》し、内部の肉を食べる。相手が人間の場合は、例えば目、鼻、耳、口、へそ、そして肛門《こうもん》や尿道《にょうどう》などの「穴《あな》」から体の中に侵入《しんにゅう》して内臓《ないぞう》まで食べてしまうのだ。アンモニアに反応《はんのう》するため、人間の尿道《にょうどう》はねらわれやすいともいわれる。アンモニアとはおしっこにふくまれる成分だ。

このストーリーは実話を元にしている。20センチほどとやや大きく、体の皮膚《ひふ》を食い破《やぶ》って体内へ侵入《しんにゅう》するカンディルもいる。いずれもヒレにトゲがあるので、一度体内に入られると引っぱり出すのがむずかしく、取り出すには切開手術《せっかいしゅじゅつ》をするしかないそうだ。日本の川にはいないのでご安心を！

11

黒いじゅうたん

危険《きけん》↓なぜ？

うっそうとしたジャングルの中を、ぼくとブラウン教授《きょうじゅ》はもう何時間も歩き続けている。

ブラウン教授《きょうじゅ》は、大学で森林の植物の研究をしている先生だ。ぼくの専門《せんもん》は高地の植物なのだが、研究室がとなりのブラウン教授《きょうじゅ》とはけっこう仲がいい。「きみ、ヒマだったら、いっしょにジャングルに行かないか？」と声をかけられたのは、きのうのこと。ブラウン教授《きょうじゅ》の助手をつとめる学生が急に行けなくなったせいだ。

ジャングルにも興味《きょうみ》はあったし、ブラウン教授《きょうじゅ》としゃべるのは楽しいから気軽に引き受けたんだけど……。

60代なのに、ブラウン教授《きょうじゅ》の体力はすごい。ぼくは教授《きょうじゅ》の荷物をたくさん背負《せお》ってるにしても……なさけないことにヘトヘトになっていた。

「ブラウン教授《きょうじゅ》、ちょっとひと休みしませんか。」

「ああ、いいだろう。」

ぼくたちは、小型《こがた》の折りたたみイスを出して腰《こし》かけた。ジャングルの中では、どんな毒虫《どくむし》がいるかわからないから、その辺に座《すわ》ってはいけないのだ。

「そういえば、このジャングルってまさか猛獣《もうじゅう》がいたり……しないですよね？」

「さあ、たぶんいないんじゃないかな。絶対《ぜったい》いないとは言いきれないけど。」

ブラウン教授《きょうじゅ》はニコニコして言った。

「ええっ！　そんなぁ！」

「一応《いちおう》、銃《じゅう》は持ってきたよ。絶対《ぜったい》当たるとは言いきれないけど。」

教授《きょうじゅ》ののんびりした顔を見ていると、あまり心配しなくてもいい気がしてきた。

まあ、こうやって何十年もジャングルを歩いてきた人といっしょなら、何かに出くわしても切りぬけられるだろう。


おや、サラサラ音がするな。

雨じゃないし。川の音かな？

そう思ってキョロキョロすると。

遠くに、異様《いよう》なものを見つけたんだ。

大きくて長い、黒いじゅうたんみたいなものが地面をうめつくしていて。

よく目をこらすと……動いてる！

「ブラウン教授《きょうじゅ》？　あれはなんですか？」

ブラウン教授《きょうじゅ》はサッと立ち上がった。

「おお、これはなかなか珍《めずら》しいものに出会ったな。きみはラッキーだよ。」

「そうなんですか？」

で、結局あれはなんなんだろう？　近くで見てみたい。

ぼくがほんの少し、前に歩き出すと。

ブラウン教授《きょうじゅ》は、とてもきびしい声で言ったんだ。
「それ以上近づくな。もしふみつぶしでもしたら危《あぶ》ないぞ！　そいつらは、銃《じゅう》では
やっつけられないからな。」

ジャングルの真ん中に、黒いじゅうたんのように見える動く何かが現《あらわ》れた。その正体は何か想像《そうぞう》してみてほしい。それをふみつぶしたらどんなことが起こるのだろうか。

解説《かいせつ》　グンタイアリ

黒いじゅうたんの正体は、数えきれないほどのグンタイアリの群れだった。グンタイアリは、軍隊のようにきちんと整列して行進する変わったアリだ。隊列を組むのは何十万匹《びき》、何百万匹《びき》ともいわれる。アリなのに巣を持たず、エサを狩《か》りながら移動生活《いどうせいかつ》を送る。体長は3～15ミリくらいで、種類《しゅるい》によって大きさにちがいがある。

獲物《えもの》は主に昆虫《こんちゅう》やクモ、トカゲ、サソリ、ヘビなど。大きい獲物《えもの》でも大集団《だいしゅうだん》でおそいかかって倒《たお》し、きれいに食べつくしてしまう。あごのかむ力はかなり強く、大きいキバを持つものもある。おしりの毒針《どくばり》から注入される毒《どく》はそれほど強力ではないが、何度もくり返し刺《さ》すことが可能《かのう》だ。

もし、うっかりふんだら……アリたちは、まちがいなく主人公の体をはいのぼってきただろう。おびただしい数のアリに全身にたかられて、かまれたり刺《さ》されたりするなんて想像《そうぞう》しただけで身の毛がよだつ。ジャングルではジャガーでさえグンタイアリには道をゆずるという。見かけても、絶対《ぜったい》に近寄《ちかよ》らないことだ。

12

命がけの競走

危険《きけん》→対処《たいしょ》？

「うわっ、骨《ほね》だ！」

ガイドさんの後をついて歩いていると、でっかい頭《ず》がい骨《こつ》に出くわしてビビった。カーブしたツノがついてるところをみると……。

「あれはスイギュウの骨《ほね》ですよ。コモドオオトカゲが食べたあとですね。」

ガイドさんが教えてくれた。

オレは大学の卒業旅行でインドネシアのコモド島に来ている。目的はずばり、コモドオオトカゲを見るため。世界最大のトカゲを間近で見られる観光ツアーがあると知って友人たちをさそったんだ。

「すげえな。コモドオオトカゲってスイギュウに勝てるのかよ。」
ヤザキが、骨《ほね》のそばに行ってジロジロながめた。
「コモドオオトカゲはものかげにかくれて、獲物《えもの》を待ちぶせします。大型動物《おおがたどうぶつ》なら
まず足をねらって、転ばせる。小さい動物ならいきなりのどにかみつきます。そう
して食いちぎっていくんです。」
オレはガイドさんに質問《しつもん》した。
「でも、スイギュウみたいなのは、そうかんたんに食わせてくれないんじゃないで
すか？」
「コモドオオトカゲの唾液《だえき》から毒《どく》が注入されるんです。だから大型動物《おおがたどうぶつ》も、かまれ
たらだんだん弱っていって死んでしまうんですよ。しかもその毒《どく》には、血を止まら
なくさせる成分があります。」
「うわぁ、そりゃ勝ち目がないなぁ。」
「地上最強じゃね？」
みんなは、スイギュウの骨《ほね》をじっと見つめた。

その直後、ついに念願のコモドオオトカゲを近くで見ることができた。近くで見ると……やっぱこわいなぁ。体長は3メートルくらいありそうだし。

ガイドさんが、先がふたまたに分かれた長い棒《ぼう》を持っているのが心強い。

「わたしからはなれないでくださいね。走ったりしなければ安全ですから。」

オレたちは、ガイドさんの後ろにかくれるように、横1列に並《なら》んでコモドオオトカゲをながめる。

太いしっぽを引きずってのしのし歩く姿《すがた》はユーモラスにも見えるが、本気で走ると時速20キロは出るそうだ。ってことは100メートルを18秒か……。うーん、サッカーやってたころなら余裕《よゆう》だけど、最近はまったく運動してないからな。

「しかも、子どものコモドオオトカゲはもっとスピードが出ます。体が軽いですからね。」

「じゃあ、追いかけられたらかなわないな。」

オレが言うと、ガイドさんはみんなの顔を見回した。

「もし出会っても走って逃《に》げてはいけません。逃《に》げるものは獲物《えもの》と認識《にんしき》されますからね。」

ふう～。きょうはおもしろかったな。

宿に帰って汗《あせ》を流したあと、オレはベッドに横になってきょう見た光景を思い返していた。あしたは近くの島に移動《いどう》して、海遊びをする予定だ。

そう思ったら……もう一度、あいつを見たいという気持ちになってしまったんだ。まだ、日も暮《く》れてないし。

同室のヤザキをさそったら、いっしょに来ると言う。ヤザキは旅行に来た仲間の中で一番つき合いが長くて気が合うから、乗ってくると思ったんだ。サッカー部ではコンビを組んでた仲だし。

しかし、ちょっとした冒険《ぼうけん》にくり出したのは大きなまちがいだった。

オレは激《はげ》しく後悔《こうかい》していた。

昼間はガイドさんがいたから落ち着いて行動できていたけど。

いざ、コモドオオトカゲに出くわしたら「逃《に》げないでいる」ってことはむずかしかった。オレもヤザキも「ひえっ」と飛び上がってしまい、まんまとヤツの気を引いてしまったんだ。

コモドオオトカゲは、先が割《わ》れた舌《した》をチラチラとのばし、ジリジリ近づいてくる。

「走っちゃダメ、走っちゃダメだ。」

そう言い合いながら、オレたちはしっかり走り出していた。

ダメだ、このままじゃやられる。

「インドネシアに卒業旅行の大学生2人、コモドオオトカゲに食われる」というニュースの見出しが頭に浮《う》かんでくる。

全速力で走ってもダメなら、木に登る?

いや、高い木も見当たらないし、あいつも登ってこられそうだ。なにしろトカゲだし直立もできるんだし、ツメもあるし……。

「ヤザキ、爬虫類《はちゅうるい》の弱点ってないかな?」

「こいつは視力《しりょく》も聴覚《ちょうかく》も嗅覚《きゅうかく》もいいはずだ!」

ヤザキもオレと同じように、早くも息を切らしている。

後ろをチラッと見ると……コモドオオトカゲとの差は数メートルくらい。追いつかれて、足をガブリとやられたらおしまいだ。

ん？

オレはもう一度、後ろを見やった。

そうか、もしかしたら……。

オレはヤザキのうでをつかんで言った。

「ヤザキ、サッカー部のアレをやるぞ。トレーニング・ナンバー2だ！」


主人公は、この大ピンチを切りぬける作戦を考えついたようだ。後ろをふり向いて、コモドオオトカゲを見たとき、そのヒントを得《え》たらしい。主人公はどんな行動をとったのだろうか。

解説《かいせつ》　コモドオオトカゲ

主人公は、ふり向いたときにコモドオオトカゲと目が合わないことに気づいた。トカゲの目は、顔の側面についている。前方の視野《しや》はせまいので、ジグザグに走ればまどわすことができると考えたのだ。「トレーニング・ナンバー2」とは主人公とヤザキが所属《しょぞく》していたサッカー部の、大きなジグザグをえがいて走る練習のことである。この作戦はうまくいき、2人は奇跡的《きせきてき》に逃《に》げのびることができた。

世界最大のトカゲであるコモドオオトカゲの体長は2〜3メートル、体重は最大160キロほど。スイギュウ、イノシシ、シカなどの哺乳類《ほにゅうるい》や鳥類《ちょうるい》を獲物《えもの》とする。ギザギザの歯でかみつき、歯ぐきの間からしみ出る毒《どく》で獲物《えもの》を確実《かくじつ》に死にいたらしめる。視力《しりょく》も聴力《ちょうりょく》もすぐれているが、嗅覚《きゅうかく》もすごい。4キロ先の動物の死がいのにおいもキャッチする。舌《した》をチョロチョロ出すのは、舌先《したさき》でにおいや温度の変化を感知し、何が近くにいるかを確認《かくにん》しているのだ。

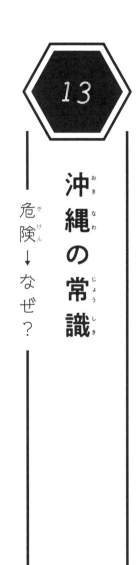

13

沖縄《おきなわ》の常識《じょうしき》

危《き》険《けん》→なぜ？

パパは丸めた雑誌《ざっし》を右手に持ち、ティッシュの箱を小わきにかかえてる。

ぼくはスプレー缶《かん》をかまえて、おそるおそる前に出た。

「リク、飛んだぞ！」

「うわーっ、こっちに来た！」

「おい、パパにスプレーかけるなよ！」

ぼくとパパがゴキブリ退治《たいじ》に大さわぎしていると。

「あら、まだやってたの？」

ママは部屋に入ってくると、パパから雑誌《ざっし》を受け取った。そして、すばやくゴキブリに近づいて雑誌《ざっし》をふり下ろす。みごとに命中！

「ママ、かっこいい！」

「いやぁ、あざやかだね！」

ぼくは弱ったゴキブリにトドメのスプレーをかけながら、パパは拍手《はくしゅ》をしながらママを絶賛《ぜっさん》する。

「ゴキブリ1匹《ぴき》くらいでそんなにほめられてもねぇ。」

ママは苦笑いした。

ぼくだって、そんなにゴキブリがこわいわけじゃないよ。もう小学2年だしね。ぼくが知ってるゴキブリよりデカいからビビっただけ。沖縄《おきなわ》には大きいゴキブリがいるって聞いてたけど、ホントなんだね。

ぼくたちはママが育った、沖縄《おきなわ》のおじいちゃん、おばあちゃんの家に来てる。広い庭はジャングルみたいで、いろんな植物があるんだよ。パッションフルーツとか、マンゴーとか珍《めずら》しいくだものの木もあってサイコーなんだ。これからママがマンゴーフラッペを作ってくれるんだよ！

ぼくは、2歳《さい》の妹のウミといっしょにえんがわに座《すわ》って庭をぼんやり見てた。

ウミは眠《ねむ》そうな顔で、お気に入りのクマちゃんの耳をかんでいる。

「こら、クマちゃん痛《いた》いって。」

クマを取り上げようとしたけど、はなさない。ウミのやつ、ちっちゃいくせに力が強いんだよな。

「やだぁ。」

ウミはぼくを上目づかいでにらみつけて、親指をしゃぶる。

あ、ヤバいな。これって、泣き出す前のパターンだ。

なんとかウミのきげんをとらなきゃと思ったとき。

ウミの顔がパッと輝《かがや》いた。

「でんでんむし。」

ウミの視線《しせん》の先を見ると、えんがわのへりをカタツムリが……え、何このデカさ!?　10センチ近くあるかも？　ゴキブリといい、沖縄《おきなわ》の生き物ってなんでもデカいんだなぁ。
ウミは「でんでんむしさん」と言いながら、自分もえんがわをはっていく。
そのとき、ママが「フラッペできたよ」と言いながら部屋に入ってきた。
「キャ――――ッ！」
ママのこんな悲鳴、初めて聞いた。
ママってゴキブリは平気なのにカタツムリはこわいのかな？
ママは両手を大きく開いてかまえ、ずんずんこっちに向かってきた。

ママは、カタツムリに危険《きけん》を感じたようだ。さて、ママはこのあとどんな行動をとったのだろうか。

解説《かいせつ》　アフリカマイマイ

ママはウミをサッとだき上げ、主人公にカタツムリにさわらないように注意した。全長約8センチのこのカタツムリは沖縄《おきなわ》に多い「アフリカマイマイ」で、広東《かんとん》住血線虫《じゅうけつせんちゅう》という寄生虫《きせいちゅう》を持つ。カタツムリが常《つね》に出しているネバネバした粘液《ねんえき》の中には、とても小さい寄生虫《きせいちゅう》がひそんでいるのだ。アフリカマイマイそのものだけでなく、通ったあとに残る粘液《ねんえき》にさわった手を口に入れると寄生虫《きせいちゅう》が入りこむ可能性《かのうせい》がある。ママはカタツムリを退治《たいじ》したあと、えんがわをふくことも忘《わす》れなかった。

広東住血線虫《かんとんじゅうけつせんちゅう》に感染《かんせん》すると1～2週間の潜伏期間《せんぷくきかん》のあと、頭痛《ずつう》や発熱などの症状《しょうじょう》が起こり、悪化すると命にかかわる場合もある。ほかのカタツムリやナメクジも寄《き》生虫《せいちゅう》を持っていることがあるので、素手《すで》でさわらないようにしよう。寄生虫《きせいちゅう》は皮膚《ひふ》の傷口《きずぐち》からも入りこむ。さわってしまったときは、しっかり手を洗《あら》うこと。ハワイではアフリカマイマイの粘液《ねんえき》がついた生野菜を食べて感染《かんせん》、病気を発症《はっしょう》した例がある。野菜を生で食べるときはよく洗《あら》うことを日ごろから心がけよう。

14

カシの木通りの怪《かい》事《じ》件《けん》

危《き》険《けん》↓なぜ？

1970年代、アメリカにて。

マーサの家は、カシの木通りに面した住宅街《じゅうたくがい》にある。マーサは、広い庭のあるこの家でチンパンジーのレックときょうだいのように育った。

赤ちゃんだったレックが家にやってきたのは6年前、マーサが4歳《さい》のときだ。チンパンジーが登場するテレビドラマが流行《はや》っていて、その愛きょうのある名俳優《めいはいゆう》ぶりにマーサとママは夢中《むちゅう》になった。それで、チンパンジーをペットとして飼《か》い始めたのである。

マーサにとって、レックは弟のような存在《そんざい》だ。レックはいっしょにテーブルについてぎょうぎよく食事をしたし、マーサがテレビを見るときは横に座《すわ》って画面をながめた。マーサのまねをして、輪投げやボール遊びもやってのける。夜はかわいいパジャマを着て、子ども用のベッドでおとなしく眠《ねむ》るのだ。

しかし、家族の中でパパだけは、レックを人間のようにあつかうのをいやがっていた。パパはもともとあまり動物が好きではないのだ。マーサがふざけて、レックにパパのネクタイとうで時計をつけたとき、「こんなことは二度としないでくれ」と怒《おこ》ったくらいだから。

パパが、レックを外で飼《か》う提案《ていあん》をしたのは、マーサが10歳《さい》になってまもないある日のことだった。

「どんなにりこうでも動物だからな。キバは鋭《するど》いし、危《あぶ》ないじゃないか。そろそろ外で飼《か》うことにしよう。」

「でも、レックの身長は90センチくらいだし、これ以上は大きくならないよ。もっと大きい犬を室内で飼《か》ってるおうちもあるよ。」

だが、パパはゆずらず、庭に大きな屋根つきの小屋を準備《じゅんび》した。

「これからはレックを家に入れちゃいけないよ。食事もこの中でとらせること。遊ぶのは庭だ。いいね。」

マーサは毎日おぼんにレックの好物をのせて、小屋に運んだ。マーサには、レックの瞳《ひとみ》が「前はみんなといっしょにご飯を食べてたのに、どうして?」とうったえているように思えた。小屋にかんぬきをかけるのを見つめるレックの表情《ひょうじょう》がさびしそうで、心が痛《いた》んだ。

「ごめんね。レック。ひとりぼっちにさせて。でも、なるべくたくさん遊びに来るからね。」

だが、レックは新しい環境《かんきょう》にすぐになれ、けっこう気に入っているようだった。小屋の半分はガラスばりで日当たりもいいし、中にはジャングルジムのような遊具が備《そな》えつけられている。レックが高いところに登ったり、ぶら下がったりする遊びを楽しんでいるのを見ると、マーサはホッとしたものだ。

ある日曜日の夕方。映画《えいが》を見に行っていたパパとママ、マーサは家に帰ってびっくりした。１階のリビングのガラスが割《わ》れていたのだ。

「どろぼうか……。」

「パパ、危《あぶ》ないわよ。まだ、どこかにかくれてるかも。」

パパは物置からゴルフクラブを取ってくると、あたりを見回しながら部屋に入った。部屋はめちゃくちゃに荒《あ》らされていた。

棚《たな》の引き出しは開きっぱなしで、ありとあらゆる物が床《ゆか》に散らばって足のふみ場もない。ラックにかけてあった洋服やぼうしが小山のように積まれ、その上に牛乳《ぎゅうにゅう》やジュースのパック、ポテトチップやクラッカーが散乱《さんらん》している。

ママが電話で警察《けいさつ》と話しているのを聞きながら、マーサがレックの小屋をのぞくと、レックもすぐにマーサのほうに寄《よ》ってきた。

「レックがしゃべれたら、どんなやつが犯人《はんにん》か教えてもらえるのに。でも、レックが無事でよかった。」

マーサはこのとき初めて、レックを小屋に入れていてよかったと思った。るすばんをしている犬がさわいだために、どろぼうに殺《ころ》されてしまった話を聞いたことがあったからだ。

やがて警察官《けいさつかん》がやってきて、家じゅうを調べた。お金や貴重品《きちょうひん》は盗《ぬす》まれていないようだ。警察官《けいさつかん》は「最近あやしい人物を見なかったか」「家をるすにする時間は決まっているほうか」などと質問《しつもん》し、しばらく話しこんでいた。

「金目のものが見つからないと、腹《はら》いせに部屋を荒《あ》らして帰るヤツはよくいるんですよ。目撃情報《もくげきじょうほう》がないか、近所の聞きこみをしてみます。」

警察官《けいさつかん》はパパとママに言いながら家の外に出ていったが、すぐにもどってきた。

「その前に……おたくのペットについて、くわしく聞かせてください。」


レックの小屋にはかんぬきがかかっている。警察官《けいさつかん》はなぜレックに疑《うたが》いをかけたのだろうか。

解説《かいせつ》　チンパンジー

チンパンジーは人間に近い遺伝子《いでんし》を持つ、とても頭がいい動物だ。人間の3～4歳《さい》の知能《ちのう》を持つといわれ、道具を利用することができる。警察官《けいさつかん》は、レックがかんぬきの開け閉《し》めのやり方を覚えたとにらんだのである。レックの小屋を調べると、ポテトチップとパパのネクタイが発見されたため、レックが犯人《はんにん》だと確定《かくてい》された。庭に落ちていた石を投げてガラスを割《わ》って、家に侵入《しんにゅう》したようだ。この事件《じけん》ののち、レックの小屋のまわりは厳重《げんじゅう》に補強《ほきょう》され、複雑《ふくざつ》なカギがつけられた。

生まれたころから人間と親しくしていても、チンパンジーは不意に野生動物の凶《きょう》暴《ぼう》な面を見せることがある。鋭《するど》いキバ、強いあごを持つ上に、握力《あくりょく》は200キロ（人間の成人男性《だんせい》の約4倍）、ジャンプ力は3～4メートル。どんなにかわいくても、パワーと知性《ちせい》を備《そな》えた危険《きけん》な動物であることを忘《わす》れてはならないのだ。現在《げんざい》、チンパンジーは絶滅危惧種《ぜつめつきぐしゅ》であることに加え、日本では「危害《きがい》を加える可能性《かのうせい》がある動物」に指定されており、ペットとして飼育《しいく》することは禁止《きんし》されている。

15

漂流《ひょうりゅう》の夜

危険《きけん》↓なぜ？

見渡《みわた》すかぎり何もない。

オレと、後輩《こうはい》のケンゴは静かで真っ黒な海の上をただよっていた。

オレたちは小型漁船《こがたぎょせん》の乗組員だ。沖に出ていたところ、夕方、急に天気が荒《あ》れ始めた。高波におそわれて船は転覆《てんぷく》。あっという間で救命《きゅうめい》ボートを用意するひまもなく、ほかの乗組員たちともはなればなれになってしまったのだ。

オレたちはたまたま流れてきた大きな木の板につかまっていたが、日が落ちるにつれ不安が高まっていく。今夜はこれにつかまって過《す》ごすのか。眠《ねむ》ったらアウトだよな。助けが来るまでがんばらなくては。

「みんな、どうしてますかね。」

ケンゴがこう言ったのは、もう10回目くらいか。

「みんな海育ちだからな。オレたちみたいにどうにかやってるさ。」

「そうだといいですね。」

ケンゴはため息をついて言った。

「せめてボートを出せればよかったけど。」

これも10回目くらいだ。

「でも、この板きれがあるだけでもマシだよ。なあ、ケンゴ、きっと明るくなったら助かるよ。とにかく今夜だけ乗りきろう。前向きなことを考えようぜ。」

オレがはげますと、ケンゴはようやく笑顔をうかべた。

「ええと……1人じゃなくてよかったです。」

「そうそう、その調子！　そうだ、歌でもうたおうぜ。」

たった1人で何日も漂流《ひょうりゅう》して助かった人の本に「歌をうたうと元気が出る」って書いてあったのを思い出したんだ。

オレとケンゴはかわりばんこに、思いつくままいろんな歌をうたった。

そろそろうたうのにもあきてきたころ、ケンゴがポツリとつぶやいた。

「腹《はら》、へったなぁ。」

あ〜っ。それ、思っても言わないようにしてたのに！

ん？　待てよ？　ここは海で、オレたちは漁師《りょうし》じゃないか。

「何か、食べられる魚をつかまえられないかな。とはいっても、暗くて見えないし。明るくなるまで待つか。」

空は雲におおわれていて、月あかりもない。

ケンゴは不意に顔をしずめ、しぶきを上げて顔を出した。

「なんかキラッと光るものが見えたんですけど。サンマかも。」

「ホントに？　サンマかぁ。服をあみのかわりにしてつかまえられるかな。サンマってけっこう速いスピードで泳ぐんじゃなかったたか。」

「忘《わす》れてた。オレ、LED《エルイーディー》ライト持ってました。水の中でも使えるんですよ。」

ケンゴが腰《こし》につけていたのは、完全防水《ぼうすい》のＬＥＤ《エルイーディー》ライトだ。10センチくらいの細い棒型《ぼうがた》で、かなり明るい。

「あ～、光ってありがたいもんだな。」

「全然使ってないんで、たぶん５００時間はいけますよ。そんなに漂流《ひょうりゅう》してたくないけど。」

ケンゴもじょうだんを言う余裕《よゆう》が出てきてよかった。

オレもひさしぶりにホッとした気持ちになったが……。待てよ。

「ケンゴ、せっかくだけどライトは消してくれ。生きのびるために、できるかぎり危険《きけん》は避《さ》けたほうがいいからな。」


魚をつかまえられなかったとしても、暗い海であかりが灯《とも》っていることは精神的《せいしんてき》な助けになる。主人公は、何を心配してライトを消すように言ったのだろうか。

解説《かいせつ》　ダツ

主人公は、ダツという魚におそわれることを心配しているのだ。ダツは全長1メートルほどのスリムな魚。背中《せなか》は青いが、腹側《はらがわ》は銀色をしている。口の先は細長くとがっていて、口の中には鋭《するど》い歯がビッシリ。

ダツは、光に寄《よ》ってくる性質《せいしつ》がある。そして、時速70キロものスピードで泳ぐことができる。海中で何か光るものがあると、ふだんエサにしている小魚の体の反射《はんしゃ》とかんちがいして猛《もう》スピードで突進《とっしん》してくる。ダイビング中の人が、身につけていた小型《こがた》ライトめがけて突進《とっしん》され、ダツが体に突《つ》き刺《さ》さる事故《じこ》も発生しているのだ。ダイバーだけでなく、あかりを使う漁師《りょうし》や釣《つ》り人も被害《ひがい》にあっている。主人公は「ケンゴが見かけた銀色の魚がダツだったら」と考え、ライトを消すように言ったのだ。

主人公とケンゴは長い夜を過《す》ごしたが、翌朝早《よくあさはや》く、無事に救助《きゅうじょ》されたという。

16

英雄《えいゆう》少女現《あらわ》る

危《き》険《けん》↓対《たい》処《しょ》？

アフリカのとある国で。

ルルは、家を訪《たず》ねてきたテレビ局の人たちをものめずらしそうにながめていた。取材を受けるなんてもちろん生まれて初めてのことだ。ルルは、いたってふつうの女子高生なのだから。

インタビュアーの女性《じょせい》はルルの前に向かい合って腰《こし》かけると、やさしい笑みをうかべて口を開いた。

「じゃあ、VTR《ブイティーアール》の撮影《さつえい》を始めるわね。ふだん通りの調子でしゃべればいいのよ。」

「はい、よろしくお願いします。」

カメラマンが撮影《さつえい》スタートの合図をし、インタビュアーは質問《しつもん》を始めた。

「では、きょう、X《エックス》川であったことを最初から話してください。」

ルルは大きく息をすって、話し始めた。

「わたしは10時ごろ、弟のモハメッドを連れて釣《つ》りをしにX《エックス》川に行きました。モハメッドは10歳《さい》で、とても釣《つ》りが好きなんです。わたしたちは小さいころからパパに釣《つ》りを教わっていますが、ときにはモハメッドのほうがたくさん釣《つ》ることもあるんです。1時間くらいして、モハメッドは『ぼく、ナイルパーチ（大型《おおがた》の食用魚）を釣《つ》ってやるんだ！』って言って、少しはなれたところに歩いていきました。わたしはひと休みしようと思って、バッグから水筒《すいとう》を出そうとしていました。そのとき、モハメッドのさけび声がして……息が止まるかと思いました。」

ルルはそのときの恐怖《きょうふ》を思い出したように、ゴクリとつばを飲んだ。

「『どうしたの？』って言って走っていくと、川べりにワニがいて……モハメッドの左足にかみついて川に引きずりこもうとしていたんです。」

「これまでワニを見たことはある？」

「一度もありません。川にワニが出て人をおそうことがあるって、話には聞いたことがありますけど。」

「モハメッドくんはどんな様子《ようす》でしたか？」

「『助けて！』ってさけびながら、必死で引きこまれまいとしていました。それで、わたしは早くしないとモハメッドが食べられてしまうと思って……。」

「ワニはどのくらいの大きさだったんでしょう？」

「3メートル以上はあったんじゃないかと。」

ルルはひたいの汗《あせ》をぬぐった。

「ワニをやっつける自信はありましたか？」

「わかりません。でも、まわりにはだれもいなかったんです。だから、わたしがなんとかしなきゃって。」

インタビュアーは深くうなずき、少し前に身を乗り出した。

「ワニの弱点についてはどこで知ったんですか？」

「前に、おばあちゃんに聞いたことがあったんです。とにかく夢中《むちゅう》でワニに飛びかかって……。」

「では、ルルさんがワニをみごとに撃退《げきたい》した方法については、コマーシャルのあとでお伝えしましょう。」

カメラマンが、カメラの停止《ていし》ボタンを押《お》した。

インタビュアーはルルに笑いかける。

「とても上手よ。じゃあ、撮影《さつえい》の続きはあなたがワニをやっつけたときのポーズから入ることにしましょう。」

「はい。」

ルルは左手を胸《むね》の前に上げ、撮影《さつえい》の再開《さいかい》を待った。


ルルは勇敢《ゆうかん》にも、ワニに食べられかけた弟を救出《きゅうしゅつ》した。特別な道具は使わずに手だけで、彼女《かのじょ》はどうやってワニをやっつけたのだろうか。

解説《かいせつ》　ワニ

ルルと弟が遭遇《そうぐう》したのは、アフリカの川や沼地《ぬまち》に生息するナイルワニだ。体長5メートル、体重220キロほど。主に魚を食べるが、水を飲みに来たシマウマ、鳥、仲間のワニなどなんでもエサにする。人間も例外ではない。

あごの「かむ力」は地上最強といわれ、口の中には鋭《するど》い歯が並《なら》ぶ。がっちりつかむのは得意《とくい》でも、食いちぎるのに適《てき》した歯はないので、相手が大型動物《おおがたどうぶつ》のときはかみついたまま体を回転させて肉を引きちぎる。

さて、そんなワニにも急所がある。ルルはワニの前におどり出ると、左手の指先をしっかりとワニの鼻の穴《あな》に押《お》しこんだ。息ができなくなり、かむ力が弱まった瞬《しゅん》間《かん》、右手で弟をワニから引きはなしたのだ。弟は傷《きず》を負ったが、足をかみちぎられなかったのは奇跡的《きせきてき》である。これは実話を元にした話。ちなみに両手で目つぶしをして助かった例もある。巨大《きょだい》で凶暴《きょうぼう》なワニが相手だからどちらも絶対《ぜったい》に成功する保《ほ》証《しょう》はないが、覚えておいて損《そん》はない。

17

密林《みつりん》にひそむトラ

危険《きけん》→対処《たいしょ》？

インドとバングラデシュの国境《こっきょう》に位置するスンダーバンズ国立公園は、世界最大規模《きぼ》のマングローブ林で知られている。カメラマンのタムラ氏は、日本の出版社《しゅっぱんしゃ》から の「マングローブ林の写真を撮《と》ってきてほしい」という依頼《いらい》を受けてこの地に取材にやってきた。

彼《かれ》は若《わか》いころから旅が好きで、特にアジアの国にくわしい。少し前にパキスタンに長期滞在《ちょうきたいざい》していたところに連絡《れんらく》が入り、「ついでにインドに寄《よ》ってくれ」と頼《たの》まれたのである。

しかし、タムラ氏には気がかりなことがあった。

「この林は野生のベンガルトラの保護区《ほごく》だそうですが、まさかトラにおそわれたりしませんよね？」

タムラ氏が心配そうに聞くと、同行する自然保護官《しぜんほごかん》のアクバル氏はおかしそうに笑った。

「保護区《ほごく》っていうのは動物園とはちがいますよ。むしろ、トラの生息地に人間が勝手に立ち入ってるんです。いいですか。基本的《きほんてき》にベンガルトラは守られなければいけません。ベンガルトラだけでなく野生のトラは世界的に数が急激《きゅうげき》に減《へ》っていて絶滅《ぜつめつ》の危機《きき》にあるのです。」

タムラ氏は、ため息をついた。

（トラが飛び出してきたら一巻《かん》の終わりじゃないか。こんな仕事、引き受けるんじゃなかった。）

「タムラさん、安心してください。麻酔銃《ますいじゅう》は用意していますから。」

アクバル氏は、撃《う》つ前に飛びかかられる可能性《かのうせい》もあるということは、あえて言わずにおいた。

タムラ氏はあることを思いついて、パッと顔を上げた。

「トラが出てきたら川に飛びこんで逃《に》げればいいのでは？　トラはネコの仲間だから泳げないでしょう？」

「そう思ってる人が多いみたいですが、トラは泳ぎが得意《とくい》なんですよ。あの川くらいはラクにわたれます。会ってしまったらあわてて逃《に》げちゃダメです。動くと獲物《えもの》だと思われますからね。目を合わせて、視線《しせん》をそらさずにゆっくりはなれてください。ただし背中《せなか》を見せないで。」

「わかりました。目を見ながら後ずさりすればいいんですね。あっ、でも……後ろにもトラがひそんでたら？」

アクバル氏は、タムラ氏がちゃんと問題点に気づいたことに感心した。

「そんなこともあるでしょうね。確《たし》かにトラは茂《しげ》みにかくれていて、背後《はいご》からおそいかかるのが得意《とくい》です。」

アクバル氏はバッグに手をつっこんだ。

「タムラさん、そんなに心配しないで。トラから身を守るのに有効《ゆうこう》なものを用意していますから。さあ、これをどうぞ。」

アクバル氏が差し出したのは、人間の顔のお面だった。

タムラ氏はムッとして言った。

「ふざけないでください。こんなもので、どうやって身を守るって言うんですか？」

アクバル氏は、「人間の顔のお面」がトラから身を守るのに役立つと言う。本当に効果《こうか》があるのだろうか。

解説《かいせつ》　トラ

トラはネコ科最大の猛獣《もうじゅう》だ。アジア大陸の森林や水辺に生息し、群れを作らずに1頭で行動する。種類《しゅるい》によってちがいはあるが、体長は最大3メートル、体重は300キロにものぼる。鳥や小動物からイノシシやシカ、スイギュウなどの大型動《おおがたどう》物《ぶつ》も獲物《えもの》にする。出会ってしまった場合の対処法《たいしょほう》はアクバル氏が語った通り。アクバル氏が用意したお面は、後頭部に装着《そうちゃく》するためのものだ。これなら後ろから来られても「トラに視線《しせん》を注いでいる」ことになる。意外だが、この方法はりっぱに効《こう》果《か》を上げているという。お面にちゃんと目がかいてあることがポイントだ。

スンダーバンズ国立公園ではさまざまな動物が自然のままに暮《く》らしている。毛皮やはく製《せい》をほしがる人間による狩猟《しゅりょう》、環境変化《かんきょうへんか》の影響《えいきょう》などからトラは絶滅《ぜつめつ》の危機《きき》にある。生態系《せいたいけい》のトップに君臨《くんりん》するトラの減少《げんしょう》は、自然の生態系《せいたいけい》の崩壊《ほうかい》につながる。

1970年代から自然環境保護団体《しぜんかんきょうほごだんたい》はトラの生息地で保護活動《ほごかつどう》に乗り出し、人間と遭遇《そうぐう》した際《さい》にもできるかぎり生きたまま捕獲《ほかく》するように努めている。

18

人食いトラ事件《じけん》

危険《きけん》↓なぜ？

ときは1900年代初頭、インドのチャンパーワットという町で。

コルベットは、地面に点々《てんてん》と残る血のあとをけわしい表情《ひょうじょう》でにらんでいた。血痕《けっこん》は、獣《けもの》の足あとといっしょに森の中へ続いている。

「まちがいない。これはトラの足あとだ。」

相手はたった1頭でこれまでに400人以上の犠牲者《ぎせいしゃ》を出している。

コルベットの後ろには、たくさんの人が列をなしていた。

「すごうでハンターのコルベットさんならきっとあいつを倒《たお》せますよ！」

「まかせてくれ。きょうこそあの人食いトラを必ずしとめてやる。約束するよ！」

コルベットはこの約束を守った。

長い間住民たちをなやませてきた人食いトラをコルベットが撃《う》ち殺《ころ》したというニュースは瞬《またた》く間に広がり、たくさんの人が森に押《お》し寄《よ》せてきた。

「ざまあみろ！　このにくらしいトラめ！」

人々《ひとびと》は、親しい人の命をうばったトラの死がいをいまいましそうにながめ、口々《くちぐち》に話し始めた。

「コルベットさん、本当にありがとうございます。このずうずうしいトラは、最近は昼間のうちから町に出てくるようになって、生きた心地がしなかったんだ。」

「それにしてもこいつは、なんでわざわざ人間をおそいに町にまで出てきたんだ？　森の中には野生の動物がいるはずなのに。」

「そう、それなんだよ。不思議なのは。」

1人の男が、包帯を巻《ま》いたうでを見せつけるようにふり回した。彼《かれ》は、このトラにおそわれ、ケガを負いながら幸運にも逃《に》げのびたのである。

「オレがあのトラを見かけたとき、トラの前にシカが飛び出してきたんだ。なのにあいつはシカには目もくれず、オレのほうにジャンプしてきたんだぜ。」

「一度人間をおそってから、人間が好物になったんじゃないか?」

だれかが言うと、トラの死がいをじっくり観察していたコルベットが顔を上げた。

「トラは鳥や小動物から大型動物《おおがたどうぶつ》まで、いろんな動物を獲物《えもの》にするが……このトラにはわざわざ人間をねらう理由があったようだな。」

「何かわかったんですか?」

みんながトラをのぞきこむ。

コルベットは、トラの口をぐっと開いて見せた。

「よく見てくれ。おそらくこれが理由だと思うんだ。」


このトラが人間ばかりをねらった理由を想像《そうぞう》してみてほしい。コルベットは、ヒントは「口の中」にあると言う。どんな理由が考えられるだろうか。

解説《かいせつ》 チャンバーワットの人食いトラ

この話は事実を元にしたもの。実在《じつざい》した「チャンバーワットの人食いトラ」は確認《かくにん》されているだけで436人もの犠牲者《ぎせいしゃ》を出したことで知られる。このトラは1900年ごろから、ネパールで200人あまりの人を殺《ころ》して食べたという。数多い目撃者《もくげきしゃ》の証言《しょうげん》から1頭のしわざとわかり、ネパール政府《せいふ》が乗り出したものの捕獲《ほかく》できず、トラは川をわたってインドへ移《うつ》ったのである。

このトラを調べたところ、右側の上下のキバが折れたりなくなっていることがわかった。このトラはキバを失ったため、スイギュウやシカなどの野生動物をしとめるのがむずかしくなり、人間をおそうようになったのだろうと推測《すいそく》されている。

「密林《みつりん》の王者」と呼《よ》ばれるトラは群れをつくらず、1頭で行動する。長距離《ちょうきょり》を走るのは得意《とくい》ではなく、茂《しげ》みに身をかくしながら獲物《えもの》に接近《せっきん》し、驚異的《きょういてき》なジャンプ力で飛びかかる。前足の強烈《きょうれつ》なパンチ、鋭《するど》いツメで獲物《えもの》をおさえこみ、かみついてトドメをさす。かむ力は、ライオンより強いといわれている。

19

あこがれのクルージング

危険《きけん》→対処《たいしょ》？

わたしと妻《つま》のエミリー、ジョーとシンシアの夫妻《ふさい》はアフリカの奥地《おくち》の川でモーターボートを走らせていた。

雄大《ゆうだい》な自然の風景が広がるアフリカでボートクルージングを楽しむのは、長年の夢《ゆめ》だったのだ。

岸辺には、水を飲むゾウの群れの姿《すがた》もある。

「ねえ、あの岸に上がろうとしてるのって、もしかして……？」

エミリーが指さす方向を見ると、平べったい黒っぽいものが動いている。

「ワニみたいだな。ジョー、もう少し寄《よ》れるかな？」

「よし、行ってみよう。」

10メートルほどはなれたあたりからでもワニだとわかった。

「あのワニ、ゾウをおそおうとしてるの？」

「まさか。いくらワニでもゾウにはかなわないだろう。あっちは仲間がいるし。」

「でも、ゾウの鼻にかみついて川に引きずりこんだらわからないよね。」

話しているうちにこわくなってきたので、わたしたちはワニからはなれることにした。


やがてオレンジ色の夕日が輝《かがや》き始めた。

ジョーがジープを停《と》めてある川岸のほうへボートを走らせているのに気づくと、シンシアが口を開いた。

「ジョー、もうひと回りしない？　もうちょっとこの夕日を見ていたいわ。」

「いや、暗くなってしまう前に帰らないと……。」

ジョーがそう言った瞬間《しゅんかん》、わたしは水面にそれを見たのだ。

「あれはカバじゃないか？」

後ろの席のエミリーとシンシアがうれしそうな声を上げる。

「あら、顔を出したのにしずんじゃった。カバって泳げるんだったかしら？」

「カバは泳ぐんじゃなくて川底を走ってるんだよ。長く息を止めてられるんだ。」

「体が大きいから、肺《はい》も大きいんでしょうね。」

少しすると、カバがまた水面に顔を出した。そして、こちらに向けて大きく口を開けてみせたのだ。

「わぁ、あくびした！　今の写真撮《と》りたかったな。惜《お》しいことしたわね。」

エミリーはむじゃきに喜《よろこ》んでいるが……イヤな汗《あせ》が出てきた。ガバッと開けた口の中のキバのデカいこと。あんなのにおそわれたらひとたまりもないじゃないか！

そうだ……前に本で読んだことがあるぞ。

「カバが口を大きく開けるのは、あくびじゃなくて威《い》かくするためだって読んだことがある。ジョー、早く逃《に》げるんだ！」

「本当なの!?」

「ジョー、早く岸にボートをつけて！」

エミリーとシンシアが後ろの席で金切り声を上げている。

そうこうするうちに――カバは、わたしたちのボートのほうに向かってくる。

ボートの速度はすでに50キロくらい出ているが、カバを引きはなせない。なんて速いんだ！

「ねえ、もっとスピード上がらないの？」

「これ以上は危《あぶ》ないよ、だいじょうぶさ。もう岸は近い！」

待てよ……。わたしはジョーのうでをつかんでさけんだ。

「ジョー、岸に上がったらダメだ。向きを変えろ！」

カバに追いつかれることなく岸につけそうなのに、主人公はなぜ「岸に上がったらダメだ」と言ったのだろうか。

解説《かいせつ》 カバ

のんびりした草食動物のイメージが強いが、野生のカバは怒《おこ》るとこわい。カバの体長は3〜4メートル、体重は3トン以上にもなる。昼は水の中で生活し、暗くなると陸に上がって草を食べる。そんなカバがきらうのは、自分のなわばりに入られることだ。なわばりに入られるとライオンやワニのような肉食動物《にくしょくどうぶつ》にも攻撃《こうげき》をしかける。150度も開くあごの力は強く、ときにはかみ殺《ころ》してしまうことも。人間のボートを追いかけてひっくり返したり、陸地でおそいかかるケースもある。

カバは水中で時速50キロ、陸上でも時速30〜40キロものスピードで走ることができる。時速30〜40キロとなると車でもないと逃《に》げ切れない。これを知っていた主人公は「この程度《ていど》の差で陸に上がったら、車に乗りこむ前に追いつかれるかもしれない。いったん水深の深いほうへもどるのが安全だ」と考えた。そして、どうにか助かったのである。ただしカバは持久力《じきゅうりょく》がなく、陸上では長時間走ることはできない。水陸どちらで勝ち目があるか、冷静に状況《じょうきょう》を見て対処《たいしょ》するべきだろう。

20

アフリカゾウが好き

危険《きけん》↓なぜ？

野生のアフリカゾウが多く生息する、ボツワナにて。

「なんだか外がさわがしいな。」

ネルソンは、ガソリンスタンドの事務所《じむしょ》から外に出てくると、目玉が飛び出すほどビックリした。

道路に1頭のアフリカゾウがいたのである。

自動車は、アフリカゾウを大きくよけて走り去っていく。そりゃあ、小型《こがた》の車に乗っていたら生きた心地がしないだろう。ゾウは車だってふみつぶしてしまうのだ。

そして……ゾウはなんと、軽い足どりでガソリンスタンドに入ってきてしまったのである。

「ネルソン、どうしたんだい？」

事務所《じむしょ》から、ネルソンの友人のアーノルドが出てきた。アーノルドは仕事のとちゅうでのんびりコーヒーを飲むために立ちよったのだ。

「うわあ、ゾウのお客さんだ！　こいつも給油が必要なんだろうな。」

ゾウを見つけるとアーノルドはうれしそうにじょうだんを言った。

このあたりは、野生動物公園の入り口に近い。好奇心《こうきしん》おうせいなゾウがときどき人里に出てきてしまうことがあるのだ。

（いすわられたら困《こま》るなあ。お客さんが入ってこられないじゃないか。）

ネルソンの心配をよそに、アーノルドは上きげんだ。

ゾウはこっちにおしりを向けて木に近づいていく。

「鼻で枝《えだ》を巻《ま》きとってるぞ。かわいいな。あいつもオレといっしょで休憩中《きゅうけいちゅう》ってわけだ。」

「あんまり近づくなよ。危《あぶ》ないから。確《たし》かにかわいい顔をしてるけど、あのデカいキバを見ろよ。」

　ゾウは、葉っぱがたくさんついたアカシアの枝《えだ》を器用に口に運んで食べている。

食べ終わると、耳をバタバタふった。

「ああやって耳を広げてバタバタするのは威《い》かく行動じゃなかったかな。」

　ネルソンは不安そうに言ったが、アーノルドはいたって楽天的だ。

「いや、あれは体を冷やしてるんだよ。暑いからな。威《い》かくだったらこっちを向くはずだろ?」

　バオ――――ン
　デカい鳴き声がひびきわたった。

「あれ、絶対怒《ぜったいおこ》ってる声だよ!」

「ネルソン、おまえは心配性《しんぱいしょう》だな。『こんにちは』ってあいさつしてるんだよ。な、ゾウさん。」

　アーノルドが大胆《だいたん》にも手をのばしてゾウのおしりをなでたので、ネルソンはひやひやした。

「あいさつだったら、顔をこっちに向けるんじゃないか?」

「なるほど。それもそうか……。あ、でも、ほら見ろよ。鼻をこっちに向けてるぜ。ゾウは鼻であいさつするじゃん。鼻を仲間とからませ合ったりして。」

「それとはちがうと思うぞ!」

ネルソンはアーノルドの手をつかむと後ろを見ずに全速力で走り、事務所《じむしょ》にかけこんだ。


ゾウが鼻を使って仲間とコミュニケーションするのは本当だ。ゾウが長い鼻だけをこっちに向けていたのはどういう意味なのだろうか。

解説《かいせつ》　アフリカゾウ

ゾウの長い鼻は、器用にいろいろな役割《やくわり》を果たす。エサをつかんだり、ものにさわって確《たし》かめたり。水を飲んだり、シャワーのように水を吹《ふ》き出す姿《すがた》もよく見られる。ゾウ同士《どうし》で鼻をからめるなど、コミュニケーションにも使われる。ところで、ゾウは視力《しりょく》はよくない。まわりの情報《じょうほう》をキャッチするのは耳と鼻である。

このゾウが鼻先だけをこちらに向けていたのは「嗅覚《きゅうかく》で見張《みは》っている」ため。つまり、警戒《けいかい》している証拠《しょうこ》だ。ゾウは鳴き声もさまざまだが、「バオーン」といういななきは「近寄《ちかよ》るな」という意味。「こんにちは」のときも似《に》た声を出すが、その場合はおだやかな調子で、鼻を上下に波打たせる。耳を動かすのは風を起こすためだが、威《い》かくのサインの場合もある。アフリカゾウは体長5〜7メートル、体重は3〜6トンにもなる。しかも巨体《きょたい》に似合《にあ》わず時速40〜50キロの速さで走れるのだ。サイのような強い動物さえ足でふみつけるし、敵《てき》を鼻で投げ飛ばすこともある。もしばったり遭遇《そうぐう》したら、絶対《ぜったい》に近づいてはいけない動物だ。

21

アフリカの睡魔《すいま》

危険《きけん》↓なぜ？

アフリカのとある国で。

国際的《こくさいてき》なボランティア団体《だんたい》の一員であるルイーズとクロエが大学の休みを利用してこの国を訪《おとず》れたのは、小学生たちに勉強を教えるためだった。

「さて……ごはんはどうしようか。」

「レストランに行くのはやめて、自分たちで作らない？　市場にも行ってみたいし。」

2人が泊《と》まっている宿泊所《しゅくはくじょ》には、小さいキッチンもついているのだ。

ルイーズとクロエは市場に出かけ、いろいろな食材を買いこんできた。メインディッシュはヤギ肉だ。お店にはダチョウやワニ、シマウマなどの肉もあったが、店員さんが「さばいたばかりの新鮮《しんせん》なヤギ肉は、においがなくておいしいよ」と強くすすめてくれたのだ。トウモロコシやイモの粉《こな》をねり合わせたマッシュポテトのような料理や、豆と野菜の煮《に》こみを作り、マンゴーとパパイヤを並《なら》べるとテーブルはいっぱいになった。

「あ～おなかいっぱい！」

窓《まど》から気持ちのいい風が吹《ふ》きこんでくる。

クロエが大あくびをするのを見て、ルイーズは台所に立った。

「コーヒー入れるね。」

「わ、ありがとう。じゃあ、あたし、食器洗《あら》うよ。」

クロエがテーブルの上の食器を重ね始めたとき。

「いたっ！」

うでがチクッとして、クロエは飛び上がった。

「どうしたの？」

「何かに刺《さ》されたかも⁉」

2人は部屋を横切る虫を目で追いかける。カーテンにとまったその虫は……。

「ハチじゃなくて……ハエ？」

「どう見てもハエだよね。」

虫は窓《まど》から外へ出ていった。

「でも、確《たし》かにチクッとしたんだよ。あ、ほら。赤くなってる。」

「ホントだ。じゃあ、ハチだったのかな？　ハエは刺《さ》さないもんね。」

「ハチじゃなかったと思うけどなぁ。なんだったんだろ？」


1週間後。

小学校のひかえ室で眠《ねむ》りこんでいたクロエは、指導員《しどういん》の先生に肩《かた》をゆさぶられた。

「クロエさん、クロエさん、起きて！」

何度もくりかえし呼《よ》びかけると、クロエはやっと目を開けた。

「クロエさん、あんまり夜ふかししちゃ困《こま》りますよ。きのうも食事中にウトウトしてたでしょう?」

「夜はたっぷり寝《ね》てるんです。なのに、いくら寝《ね》ても眠《ねむ》くて。」

先生は、クロエのうでがポツンと赤く腫《は》れているのに気づいた。

「これ、どうしたの?」

クロエが、虫に刺《さ》されたときのことをくわしく話すと、先生は目の色を変えた。

「その虫はハエだったのね? あなたはやたら眠《ねむ》そうだったし……もっと早く気がつけばよかったわ。クロエさん、すぐに病院に行きますよ!」


人を刺《さ》すハエなどいるのだろうか。先生は、クロエが眠《ねむ》そうなことを気にしているが、どんな心配をしているのだろうか。

解説《かいせつ》　ツェツェバエ

クロエを刺《さ》したハエの正体はアフリカの一部の地域《ちいき》に生息するツェツェバエ。トリパノゾーマという寄生虫《きせいちゅう》の運び屋である。ツェツェバエに血を吸《す》われると、体にトリパノゾーマが侵入《しんにゅう》。寄生虫《きせいちゅう》が体の中で増殖《ぞうしょく》し、潜伏期間《せんぷくきかん》をへて頭痛《ずつう》や筋肉痛《きんにくつう》などが起こる。進行すると、やがて眠《ねむ》り続けるようになり、こんすい状態《じょうたい》におちいって死にいたることがある。これを「アフリカ睡眠病《すいみんびょう》」という。ツェツェバエは体長5～10ミリほどで、一見ふつうのハエのように見える。服の上からでも吸血《きゅうけつ》するので、感染症《かんせんしょう》の流行地ではできるだけ虫よけの薬をぬるなど警戒《けいかい》が必要だ。クロエはすでに症状《しょうじょう》が進行していたが、すみやかに治療《ちりょう》をしたおかげで、幸いにも一命をとりとめた。

病原体を運ぶ虫としてよく知られるのは蚊《か》である。しかし、世界にはさまざまな性質《せいしつ》の虫がいる。刺《さ》されたときに、危険《きけん》な虫なのかどうか素人《しろうと》が見分けるのはむずかしいので、「痛《いた》み・腫《は》れ」などの目立った症状《しょうじょう》があったら早めに病院へ。

22

獲物《えもの》をわが手に

危険《きけん》↓なぜ？

海の中は静かだ。

オレのすぐそばを、小さな魚たちの群れが泳いでいく。

こうしてると、自分が自然の一部だっていう気がしてくるなぁ……。

海面に顔を出すと、ユタカがこっちを向いてニカッと笑い、高々《たかだか》とモリを持ったうでをふり上げた。

よーし、そろそろやるか！

オレも、アルバイトで貯《た》めたお金で買ったばかりの新品のモリを差し上げてみせ、また海にもぐった。

オレとユタカは、スイミングクラブに通っていた小学校時代からの親友だ。

高校生でサーフィンに、大学に入学したころはスキューバダイビングにハマって……そんなオレたちは今「スピア・フィッシング」にこっている。

スピア・フィッシングとは、海にもぐって魚をついてしとめる遊びだ。酸素《さんそ》タンクを使わない「素《す》もぐり」で、モリを持って海にもぐると冒険小説《ぼうけんしょうせつ》の主人公になったような気分になる。

長いモリを使うから、泳ぎに来る人がいないような場所を選ばなきゃダメだけど。人がいない場所ほど、気分も高まるんだよなぁ。

きょうはなかなか快調《かいちょう》だ。オレはイシダイをモリからはずし、ストリングに通して腰《こし》にぶら下げた。

「もう獲《と》れたのかよ。早いな。」

ユタカがくやしそうに言う。

「まかせとけ。おまえの分の昼飯もオレが調達してやるよ。」

オレたちは、ほぼ同時に海にもぐった。オレもユタカも、今では水深15メートルくらいまでもぐれるようになっている。

海底は、まるでサンゴの花畑みたいだ。まん丸の魚が腰《こし》を落ち着けてる……あれはフグかな？　そのうち水中カメラを買って撮影《さつえい》しようかな。

なんて、のんびり海中を見渡《みわた》していると。

遠くにかなり大きい魚の姿《すがた》が見えた。なんだろう。

ん……まさか⁉

ユタカもそれに気づいたようだ。

オレたちはあわてて海面に浮上《ふじょう》する。ユタカは口からシュノーケルをはずすと、急《せ》きこんで言った。

「あれ、サメじゃないか⁉」

「オレもそう思う！　行くぞ！」

「モリはどうする？」

長いモリを持ってたら速く泳ぐことはできない。

これでサメと戦えるか？　いや、サメが相手じゃ2人がかりだってやっつけられるとは思えない。

「捨《す》てよう！」

緊急事態《きんきゅうじたい》だからしょうがない。

オレたちはモリを手放し、浜辺《はまべ》に向かって全力で泳ぎ始めた。

海中をうかがうと……やばい。ヤツはオレたちのほうに向かってきている！　頭の中に、昔見た人食いザメの映画《えいが》の場面がうかんでくる。浜辺《はまべ》まで1キロくらいあるけど逃《に》げ切れるのか⁉


無我夢中《むがむちゅう》で泳ぎながら、ハッとする。

あれ、ユタカはどこだ？　泳ぐスピードはオレのほうが上なんだ。

ななめ後ろを見やると。

サメだ〜〜〜〜〜〜〜〜〜っ！

サメがオレに迫《せま》っている。差は5メートルもないだろう。大きな口、大きな背《せ》びれもはっきり見えた。ユタカはどうした？　まさか食われちまったんじゃないだろうな⁉

そのとき、サメの後方でユタカが顔を出すのが見えた。どうやら無事らしい。

ん？　サメは……オレをねらってるのか。なんで？　どうすりゃいいんだ⁉

サメはユタカを追いこし、主人公をねらっているようだ。その理由はどこにあるのだろうか。

解説《かいせつ》　サメ

サメが、ユタカではなく主人公を追ってきたのには理由がある。主人公が腰《こし》に獲《え》物《もの》のイシダイをぶら下げていたためだ。イシダイをはずして放すとサメはそれに食いついたので、主人公は逃《に》げ切ることができた。サメは血のにおいに非常《ひじょう》に敏感《びんかん》で、ほんのわずかな血でもにおいを感じて寄《よ》ってくるのだ。

サメの弱点は鼻先だ。正しくは「吻《ふん》」という。ここには、サメが電流や磁場《じば》を感知するロレンチーニ器官がある。吻《ふん》をつかんだりなぐったりすることでサメをひるませ、逃《に》げるのに成功したという例が報告《ほうこく》されているが、賛否両論《さんぴりょうろん》ある。口をつかむ、目やエラを攻撃《こうげき》するのが有効《ゆうこう》という説もあるが、これも意見が分かれるところ。本当にかみつかれそうになるまでは試さないほうがいいだろう。ものすごい歯と強いあごの力を持つサメと戦うことは、できるだけ避《さ》けるべき。

もしサメに出会ったら、水しぶきを上げずに静かに泳ぎ、刺激《しげき》しないようにゆっくりはなれよう。

23

ゆれる流氷

危険《きけん》↓なぜ？

ペンギンの群れが、岸の上に並《なら》んでいる。そろって青い海を見下ろす姿《すがた》はまるで「さあ、だれが最初に行くんだ？」と話し合ってるみたいだ。

やがて1羽が海に飛びこむと……仲間たちが次々《つぎつぎ》に後を追って飛びこむ。思わず笑ってしまいながら、カメラで連写した。うまく撮《と》れたかなぁ？

「ここは南極のいろんな動物が見られる穴場《あなば》スポットなんだよ。」

オレを連れてきてくれたウエノ先輩《せんぱい》は、ゆかいそうに言った。先輩《せんぱい》は本職《ほんしょく》の南極探検家《たんけんか》だ。南極の自然や、動物についての本をたくさん書いている。そんな人が個人的《こじんてき》な旅行にオレをさそってくれるのはうれしいことだ。

大学時代、アパートの部屋がとなりだったせいで仲よくなったんだが……あのころ料理がまるでできなかったウエノ先輩《せんぱい》は、オレの作るチャーハンや焼きそばをありがたがって食べていたっけ。そのせいか先輩《せんぱい》はオレに、やけになついているところがある。

「ほら、カニクイアザラシがいる。」

先輩《せんぱい》が指さしたほうを見ると、アザラシが重なり合うようにゴロゴロしていた。なんてのどかな光景だろう。

「かわいいなぁ。カニが主食なの？」

「いや、それがカニは食べないんだ。口の中がこい赤で、それがカニを食べたみたいに見えるからっていう理由でついた名前なんだって。」

「ずいぶん適当《てきとう》なんだな。」

そのとき、1頭のカニクイアザラシが体をくねらせながら移動《いどう》していくのが見えた。エサを探《さが》しにいったのかな。

流氷に乗るアザラシ。絵になるなぁ。

……と思っていたら、アザラシのまわりで突然《とつぜん》ザブンと波しぶきが立った。大きな流氷がぐらっとゆれる。まわりを見渡《みわた》すと、波が立っているのはそこだけだ。

何が起こってるんだろう。

オレはもっとよく見ようと無意識《むいしき》のうちに、足を進めていたらしい。ウエノ先輩《せんぱい》が、オレの肩《かた》をつかんで言ったんだ。

「危《あぶ》ないぞ。それ以上近づかないほうがいい。引きずりこまれたくなければな。」

主人公は何によって引きずりこまれる危険《きけん》があるのか、想像《そうぞう》してみてほしい。アザラシの乗った流氷のまわりで波が立っているのはなぜなのだろうか。

解説《かいせつ》　シャチ

流氷の下ではシャチが泳ぎ回って波を立てていた。シャチはこうして流氷の上のアザラシを海に落として食べてしまったのである。

シャチは体長8～9メートル。鋭《するど》い歯、時速50キロで泳ぐスピードに加え、知能《ちのう》も高い。仲間で獲物《えもの》をはさみうちにするなどチームプレーが得意《とくい》だ。30頭ほどの群れで暮《く》らし、さまざまな音を出して、仲間とコミュニケーションをとっている。クジラやイルカと同じように「クリック音」といわれる音波を出すことで獲物《えもの》の位置を知ったり、音波を獲物《えもの》に当てて弱らせることもできる。

シャチは海面に小さな魚をはきだして海鳥をおびきよせる、猛《もう》スピードで浜辺《はまべ》にはい上がって獲物《えもの》をつかまえるなど多彩《たさい》な狩《か》りの技術《ぎじゅつ》を持っている。好奇心《こうきしん》が強く、興味《きょうみ》を持ったものに向かってくる性質《せいしつ》があるので、浜辺《はまべ》やボートの上にいても安全圏《あんぜんけん》ではないと覚えておこう。

24

鉄道事故《てつどうじこ》

危険《きけん》→なぜ？

秋も深まり、赤や黄色に色づいた葉が目を楽しませるシーズンだ。

この風景は毎日見てても見あきない。

しかし、電車の窓《まど》からぼんやり外をながめながら、ぼくはちょっとした違和感《いわかん》を覚えていた。

この電車、おかしくないか？

そう思ったとき、スピードがガクンと落ちた。ガタガタゆれたり……。

変だな、故障《こしょう》？　次の駅まではまだだいぶ距離《きょり》があるはずだ。

同じ車両の人たちも、ざわめき始めた。

「やだ、こわい。」

「脱線《だっせん》とかするんじゃないだろうな。」

だんだんとスピードが落ちていき、やがて電車は停止《ていし》した。

車内放送があってから10分ほどたつ。

「現在《げんざい》、原因《げんいん》を調べ中です」と車内放送があってから10分ほどたつ。


車内の人たちはイライラした様子《ようす》で、おしゃべりも盛《さか》んになっている。

「あ〜、早く動いてくれないと困《こま》るな。約束におくれちゃうよ。いったい何があったのかね？」

「前にも、この電車に乗ってて止まったことあってさ。そのときはシカに衝突《しょうとつ》したんだよ。」

「うわ。シカの事故《じこ》、多いらしいよね。でも、今のは急停車《きゅうていしゃ》じゃなかったし……なんだろうね？」

「機械系《きかいけい》の故障《こしょう》なのかなあ？」

駅と駅の間なので、乗客は外に出られず車両にとじこめられたきりだ。

窓《まど》の外で、運転士《うんてんし》と車掌《しゃしょう》さんと思われる2人が、車両の下をのぞいたり、あっちこっちウロウロしているのが見えたけど。

やっぱり故障《こしょう》なのか？

「ご乗車のみなさま、たいへんお待たせしております。」

車内アナウンスが始まった！

「調べたところ、ただ今電車が停止《ていし》した原因《げんいん》はヤスデであることがわかりました。現在《げんざい》、対処《たいしょ》しておりますので、運転再開《うんてんさいかい》までもうしばらくお時間をいただきたく思います。」

ヤスデだって⁉

一瞬《いっしゅん》静まりかえっていた乗客たちは、またさわがしくしゃべり始めた。

「ヤスデって言ったよな。」

「ヤスデって……ダンゴムシが長くなったようなヤツだよね。」

「電車を止めるヤスデってどんなんだよ？」

まさか、大ヤスデが出た……!?

全長1メートルくらいある大ヤスデが電車の前に飛び出してくるところが頭にうかんだ。

いや、電車が止まるくらいだからもっと大きいかもしれない……!?

車内放送でははっきりと「原因《げんいん》はヤスデ」と報告《ほうこく》された。ヤスデが電車を止めてしまうことなどあるのだろうか。

解説《かいせつ》　ヤスデ

この話は事実を元にしたもの。線路の上でヤスデが大量発生したのが事故《じこ》の原因《げんいん》だ。電車にひかれたたくさんのヤスデから油のような体液《たいえき》がしみ出たため、車輪がすべって動かなくなってしまったのである。ヤスデは何年かに一度大量発生するそうで、このような事故《じこ》は過去《かこ》に何件《なんけん》か起こっている。かつて、山梨《やまなし》県と長野《ながの》県にまたがる小海線《こうみせん》を止めたヤスデは「キシャヤスデ」と名づけられた。

ヤスデは体長2〜3センチの節足動物だ。ムカデと混同《こんどう》されがちだが、ムカデのように人をかむことはない。さわると丸まって刺激臭《しげきしゅう》のある体液《たいえき》を出すくらいだ。枯《か》れ葉《は》の下やしめった土を好み、腐《くさ》った葉などを食べて、土を豊《ゆた》かにする役割《やくわり》をしている。畑の作物を食べることもないので、むしろ「益虫《えきちゅう》」といえる。ただ、かなりの大群で集団移動《しゅうだんいどう》するので、見た目に不快《ふかい》なのは確《たし》かだ。体内には毒性《どくせい》の物質《ぶっしつ》があり、駆除《くじょ》のために焼いたりするとガスが発生する。たくさん吸《す》いこむと頭痛《ずつう》や吐《は》き気などの症状《しょうじょう》が出ることもあるので、あつかいには注意が必要だ。

25

シカの大群VS《バーサス》オレ

危険《きけん》↓対処《たいしょ》？

修学旅行《しゅうがくりょこう》の最終日、自由行動の時間にオレたちの班《はん》がやってきたのは奈良《なら》公園。ここは、園内で野生のシカとふれ合える有名な観光スポットなんだ。

「おお～シカ、すげーいっぱいいるなぁ。」

思わず口に出すと、ケンヤが笑った。

「当たり前じゃん。ほら、シカせんべい買ってこようぜ。」

シカせんべいを持っていると、シカのほうからぐいぐい寄《よ》ってくる。さすが、観光地だけあって人になれてるんだな。

おっと。

オスのシカのツノが、オレの胸《むね》に当たりそうになったんで、あわてて身をかわした。シカのツノって、近くで見るとこわいな。

ケンヤは、せんべいを食べさせながらこっちを見てニヤニヤした。

「おいおい、シカにビビってんのかよ?」

「ちがうって。どのシカにあげようか、まよってるんだ。」

あたりを見回し、ツノのないメスのシカのそばに行こうとすると……。

「うわっ!」

オレはあっという間にたくさんのシカにかこまれてしまった。

「おーい、みんな見ろよ! こいつシカにモテまくってるぜ!」

ケンヤをはじめ、班《はん》の仲間たちは笑い転げている。

いや……笑いごとじゃなくて、マジでこわいんだけど!

りっぱなツノが目の前をかすめる。

オレは急いでシカせんべいを差し出すが、すぐになくなってしまった。手まで食われそうな勢《いきお》いだから、手を引っこめてポケットにつっこんだ。

もうせんべいは残ってないのに……シカたちははなれてくれない。制服《せいふく》のズボンをくわえて引っぱるヤツもいる。

ダメだ、かっこ悪いとか言ってる場合じゃない。

オレは身の危険《きけん》を感じてさけんだ。

「助けて！」


主人公はもうエサを持っていないのにシカにかこまれてしまった。こんなとき、どうすればいいのだろうか。

解説《かいせつ》　シカ

主人公は、この直後にかけつけたシカせんべい売りのおばさんの助言にしたがい、両手を高く上げた。すると、シカたちは主人公のまわりから去っていったのだ。つまり「エサを持っていない」ことをアピールすればいいのである。

エサを持っているのに引っこめてじらしたりするのは厳禁《げんきん》。怒《おこ》ったシカに攻撃《こうげき》される例が報告《ほうこく》されている。

奈良《なら》公園のシカは人になれているが、野生動物であることに変わりはない。園内にも「時として人を攻撃《こうげき》することがある」と注意書きの看板《かんばん》があり、シカがかんだり、ツノで突《つ》いたり突進《とっしん》してくる可能性《かのうせい》があると示《しめ》している。奈良《なら》公園ではオスのツノを毎年10月ごろに切るが、春先にはまた新しく生え始め、夏から秋にかけては大きく育っている。秋はオスの発情期《はつじょうき》にあたり、ふだんより気が荒《あら》くなっているので気をつけよう。

ちなみにシカにナメられがちなのは小柄《こがら》な人、ビビる人、逃《に》げる人である。

26

サンタのドライブ

危険《きけん》↓なぜ？


信号待ちをしていると、助手席のハリーがオレをつついた。

「兄さん、横を見てみなよ。」

見ると、となりに停《と》まっている車の窓《まど》から小さな男の子と女の子がうれしそうにオレを指さしている。

にっこり笑って手をふってやると、2人とも大喜《おおよろこ》びだ。

「兄さんがこんなにサービス精神《せいしん》があるとは思ってなかったな。」

ハリーはニヤニヤ笑う。

クリスマス・イブの夜。オレはサンタクロースの衣装《いしょう》を着こんで車を走らせていた。弟のハリーは大学生で、オレといっしょに住んでいる。オレたちはクリスマスを家族と過《す》ごすため、実家に向かっているところなのだ。

オレがサンタクロースの衣装《いしょう》を用意したのは、姉の子どもたちのためだ。クリスマスプレゼントは車のトランクに積んである。4歳《さい》のマーガレットには、彼女《かのじょ》よりずっと大きなクマのぬいぐるみ。6歳《さい》のマイケルには子どもサイズのドラムセット。最近オレは2人に会うのが楽しみでしょうがないんだ。

このかっこうでプレゼントを持って家に入っていったら、2人は喜《よろこ》んでくれるだろうな！

それにしても……ハリーがもうちょっと早く帰ってきてくれればよかったんだが。この分だと実家に着くのは9時近くになる。クリスマスのごちそうでおなかがいっぱいになったマーガレットは、もうベッドに入ってしまってるかもしれない。

少しでも早く到着《とうちゃく》したい一心で、オレはアクセルをふみこんだ。

それは街灯の少ない田舎道《いなかみち》にさしかかったときだった。

ドン！

何かにぶつかったイヤな衝撃《しょうげき》があって……。

オレはゆっくりと車を停《と》めた。

「今の、まさか……。」

ハリーがつぶやいた。

やっちまった……のか？

「人間じゃないよな？　視界《しかい》に入らなかったし。」

「たぶん……。でも、オレ今ウトウトしてたから自信ないな。老人がひょいと飛び出してくることもあるし。」

ハリーはそう言うと、あわてて打ち消すように両手をふった。

「アライグマとかキツネかなんかじゃないか？　こないだも大学の近くの道路ではねられてたよ。よくあることさ。この辺は野生動物が多いし。」

「ああ……。」

いつまでも推測《すいそく》をしゃべってるわけにはいかない。

確《たし》かめなくては。

オレはじっとりと汗《あせ》ばんだ手をハンドルからはなし、後方を見やりながらドアを開けた。

ハリーは、両手で顔をおおいながら言った。

「人間じゃなくてよかったね。」

オレは大きくため息をついた。

「ああ。だけど……どうするかな。少なくとも、みんなに歓迎《かんげい》してもらえないのは確《たし》かだ。」


野生動物をひいたせいで「歓迎《かんげい》されない」としたら、どんな理由が考えられるだろう。主人公の車はどんな動物をひいてしまったのだろうか。

解説《かいせつ》　スカンク

主人公の車がひいたのはスカンクである。スカンクは敵《てき》をくさいおならで撃退《げきたい》することでよく知られる。危険《きけん》を察知すると逆立《さかだ》ちになり、敵《てき》におしりを向けて悪臭《あくしゅう》スプレーをふきかける。正しくは「おなら」ではなく液体《えきたい》で、なんと3メートルも飛ぶ。被害《ひがい》にあっても死ぬことはないが、催涙《さいるい》ガスなみの威力《いりょく》があり、ダメージはすごい。一度これを経験《けいけん》した動物は、スカンクの逆立《さかだ》ちを見ると逃《に》げ出すそうだ。

この液体《えきたい》はスカンクの肛門《こうもん》の近くにある臭腺《しゅうせん》にたくわえられている。野生のスカンクが多いアメリカなどでは、あやまって車ではねたりひいたりするケースがよくあるが、死がいもたいへんな悪臭《あくしゅう》を放つ。車にもにおいがついて長期間取れず、スカンクをひいた車は処分《しょぶん》しなければならないといわれるほど。

さて、スカンクをひいたばかりの車で訪問《ほうもん》するのはいかがなものか？　トランクの中のプレゼントにもにおいが移《うつ》っていそうだ。ちなみにハリーが顔をおおっていたのは絶望《ぜつぼう》からではなく、刺激臭《しげきしゅう》から目、鼻、口を守っていたためである。

27

長いまつげと長い足

危険《きけん》↓なぜ？

レミは朝早く、動物園のうら口からこっそりしのびこんだ。動物園は、開園前である。

（ごめんなさい！　ホントはこんなことをしちゃいけないってわかってるんだけど……。でも、今じゃないと間に合わないし。）

レミはきのう中学校の友だちとこの動物園に来て、まる一日たっぷり楽しんだ。クマのマスコットを落としたとわかったのは、家に帰ってからだ。

あちこちの駅などに電話したが見つからない。よく考えてみると、思い当たることがあった。ダチョウのおりの前で写真を撮《と》ったとき……バッグからいろんなものを出し入れして、そのはずみに落としたのかもしれない。

クマのマスコットは、バレエの先生からもらった大事なもので、レミにとってはいざというときのお守りでもあった。きょうは放課後にバレエの進級テストがある。テストの前にあのマスコットを持っていると、不思議と気持ちが落ち着くのだ。


レミはだれもいない動物園の中をかけぬけ、ダチョウのおりの前に到着《とうちゃく》した。

(やっぱり！)

小さなクマのマスコットは、ダチョウのおりの中に落ちている。さくの間から手をのばせば、ギリギリとどきそうだ。

すると、ダチョウがレミのほうに寄《よ》ってきた。長いまつげをふせてレミを見下ろしている。足はすらりと長く、バレリーナみたいでもある。

レミは、ニコッとダチョウにほほ笑みかけてみた。

(後ろに下がってくれないかなぁ。)

まずいことに、マスコットはちょうどダチョウの足先のあたりにある。ちょっと動いたらマスコットをふんでしまいそうだ。

おりからはなれてみたが、ダチョウは同じところに立ったままだ。

（えーい。もう時間がない。学校にちこくしちゃう！）

レミは、おりのそばに行くとしゃがみこんだ。そして、さくに顔を寄《よ》せ、さくの間からうでを入れようとすると……。

「何やってるの⁉」

後ろから強く引っぱられて、レミはしりもちをついた。

ふり向くと、そこには飼育員《しいくいん》のお姉さんが立っていた。

「あんた、死ぬところだったよ！」


レミは、ダチョウの足もとに落ちているマスコットを拾おうとしたところを止められた。レミの行動にはどんな危険《きけん》があったのだろうか。

解説《かいせつ》　ダチョウ

ダチョウは攻撃的《こうげきてき》ではないが、身の危険《きけん》を感じると強烈《きょうれつ》なキックをくり出す。足は細いが、キックのパワーは強力で、一撃《いちげき》でライオンをも倒《たお》すほどといわれる。例えば馬などは後足で後方にけるが、ダチョウは人間のように前にける。しかもダチョウは足の先に長く鋭《するど》いカギヅメがあるので危険《きけん》きわまりない。もしレミが手をダチョウの足もとにのばしていたら、頭にキックをあびて大ケガをするか、あるいは死んでいたかもしれないのだ。

ダチョウはアフリカに生息する、世界一大きい鳥類《ちょうるい》。体長2メートル、体重は１００キロを超《こ》える。卵《たまご》の重さは1キロ以上もある。飛ぶことはできないが、走るのが速い。時速50キロほどのスピードで走り、持久力《じきゅうりょく》があるのも特徴《とくちょう》だ。

日本で飼育《しいく》されているダチョウは野生種ではなく、家畜用《かちくよう》に改良されたもので性《せい》格《かく》はおとなしいほうだが、ふとしたときに攻撃的《こうげきてき》になる。いずれにしろ、絶対《ぜったい》に動物園のおりの間から手を入れたりしてはいけない。

28

死《し》闘《とう》の末に

危《き》険《けん》↓対《たい》処《しょ》？

「ここがローランドのひかえ室になるわけだね。それにしても……フロリダも冬はけっこう寒くなるんだな。」

アーロン氏は、運びこんだケージを大事そうになでながら言った。ケージの中には4メートルものニシキヘビがいる。ローランドとは、そのヘビの名前である。

「フロリダというと年中暖《あたた》かいイメージですが、たてに長い州なんでこのあたりは気温が低くなるんですよ。あ、もしかして、ここはローランドには寒すぎますか？」

ニックはあわてて言った。彼《かれ》はイベント会社の社員だ。アーロン氏を招《まね》いたのは、3日後から始まるイベントの目玉となるニシキヘビのショーのためだ。アーロン氏が大蛇《だいじゃ》を体に巻《ま》きつけて登場し、彼《かれ》の立ち会いのもとお客さんもヘビとふれ合ったり、記念写真を撮《と》ったりすることになっている。

「ローランドは東南アジアの生まれだから、もう少し暖《あたた》かいほうがいいのだが……まあ、だいじょうぶだろう。」

アーロン氏はあいそよく笑った。むしろ、半そで姿《すがた》のアーロン氏こそいささか寒そうに見える。

「少々《しょうしょう》お待ちいただけますか？　事務所《じむしょ》からホットコーヒーでも持ってきます。それから、ローランドのためにヒーターか何か準備《じゅんび》しましょう。」

そう言ってドアを開け、外に出ていこうとしたニックは飛び上がった。

「ワ、ワニだ……！」

信じられないことに、そこにはワニがいたのである。

ワニは長い鼻先をドアのすきまに押《お》しこむと、ノソノソと小屋に入ってきた。

体長は2メートルはありそうだ。

アーロン氏も予想外のできごとに、ショックで声も出ない。2人は押《お》しだまったまま後ずさりし、ケージの後ろにかくれた。しかし、これ以上逃《に》げるところも身をかくすところもない。

（近くの川から出てきたのか？　こんなところに来るってことは……エサを求めてるんだろうな。）

ニックは身ぶるいした。

「すみません。同僚《どうりょう》に連絡《れんらく》しようと思ったんですが、スマートフォンを車に置いてきてしまって……。」

「わかった。ひとまず警察《けいさつ》を呼《よ》ぼう。」

アーロン氏は警察《けいさつ》に電話をした。しかし、助けが来る前に2人がワニに食われてしまわない保証《ほしょう》はない。その瞬間《しゅんかん》は、1秒後に訪《おとず》れるかもしれないのだ。

ワニが口を開けると不ぞろいの、たくさんのとがった歯が見えた。食いつかれたらひとたまりもないのは明らかである。

「わたしたちの命には代えられん。いちかばちか……。」

アーロン氏はそうつぶやくと、ポケットからカギを取り出してケージを開けた。

ケージのとびらからニシキヘビがゆっくりと外にはい出すのを、ニックはドキドキしながらながめていた。ニックにとってはヘビもおそろしかったが……アーロン氏の意図は理解《りかい》できた。

「頼《たの》むぞ、ローランド。ちょうどおなかがすいたころだろう？」

アーロン氏は両手の指をかたくにぎり合わせ、ローランドの動きを見守った。

ワニはローランドに向かって口を開けたが、ローランドの動きはなめらかですばやかった。ローランドはかま首を持ち上げ、ワニの頭をかわして頭部の後ろあたりをひとかみした。

（ワニの皮は厚《あつ》いし、これは効《き》かないんじゃないか。ニシキヘビは毒《どく》はないはずだし……。）

ニックは絶望的《ぜつぼうてき》な気持ちになったが、ローランドは次にワニの体にグルグルと巻《ま》きつき始めた。ワニはジタバタもがくが、ローランドはしっかりからみついてはなれない。ワニは見る間に動かなくなっていく。

「すごい……。」

ニックはため息をもらした。

「まず獲物《えもの》をしめ上げて弱らせる。これがニシキヘビの戦い方なんだ。」

アーロン氏は、してやったりという笑顔をうかべていた。

「ローランド、よくやったぞ！」

すると、ローランドはスルスルと体をほどき、息絶《いきた》えたワニの頭に向かって口を大きく開けた。

「え、まさか……。」

ヘビは相当大きいものを丸のみできると聞いたことはあったが……ニックは信じられない思いで、ローランドがワニを飲みこんでいくのに見入った。

「いくら、ローランドのほうが体長は長いとはいっても……。」

命拾いをした2人は、劇的《げきてき》な光景をかたずを飲んでながめていた。そこにかけつけた、銃《じゅう》をたずさえた警察官《けいさつかん》たちも。

「ありがとう、ローランド！」

アーロン氏とニックは、ニシキヘビによって命を救《すく》われた。

しかし、ローランドが出るはずだったイベントは中止されることになったのである。


ニシキヘビはワニに勝利したはずだが、このあと予期せぬことが起こったらしい。一方、主人公たちの身は無事である。いったい何があったのだろうか。

解説《かいせつ》 ニシキヘビ

ニシキヘビ科やボア科に属《ぞく》するヘビは毒《どく》を持っていないが、長く太い体には強い筋力《きんりょく》を備《そな》えている。獲物《えもの》に体を巻《ま》きつけ、獲物《えもの》が息を吐《は》くたびにきつくしめ上げて窒息《ちっそく》させる。そしてワニや大型《おおがた》の哺乳類《ほにゅうるい》さえ丸のみしてしまう。ニシキヘビは口が大きく開くだけでなく、左右に分かれたあごの骨《ほね》を動かして、獲物《えもの》をのどの奥《おく》へと送りこむ仕組みを持つ。また、飲みこむものの大きさに合わせて体を大きく広げることもできるのだ。

アーロン氏のもくろみ通り、ニシキヘビはワニをしとめて飲みこみ、危機《きき》から救《すく》ってくれた。しかし、1つだけ計算ちがいがあった。東南アジアで生まれたヘビにとって、この旅先の環境《かんきょう》は気温が低く、体調が万全ではなかった。消化しきれないうちに体内でワニが腐《くさ》って体内でガスが充満《じゅうまん》し、不幸にもヘビは破裂《はれつ》してしまったのだ。これは実際《じっさい》にあった事件《じけん》を元にした話である。個体《こたい》に適《てき》した環境《かんきょう》では、ニシキヘビは自分の体と同じくらいの大きさのエサを食べても平気である。

29

敵《てき》に背中《せなか》を見せるヤツ

危《き》険《けん》↓なぜ？

アフリカのとある国で。

ライオン、インパラ、シマウマ、アフリカゾウ……。

動物たちが自然の中で暮《く》らす姿《すがた》を目《ま》の当《あ》たりにして、オレは興奮《こうふん》していた。

「あれはなんだろう。ガゼルかな？」

このサファリツアーにいっしょに参加しているユキムラも、車の窓《まど》に顔をくっつけんばかりにしている。

「そうじゃないかな。前にテレビで……。」

オレは続く言葉を飲みこんだ。「ライオンに食べられてるのを見たことがある」って言おうとしたんだけど、なんとなくここでそれを言うのは気まずいような気がしたんだ。

いや……正直なところ。

ライオンとかの肉食動物《にくしょくどうぶつ》が、ほかの動物を捕食《ほしょく》するシーンを実際《じっさい》に見たいっていう気持ちはある。ざんこくなようだけど、それが自然のありのままなわけで。

「あ、ヒョウが走ってきましたよ。これはラッキーです！」

ガイドさんが指さすほうを見ると……おお、ヒョウだ！　ものすごいスピードでかけてくる。その前を、必死に逃《に》げている灰色《はいいろ》っぽいのはなんだろう？

「あれはヤマアラシです。」

「あ、そうか！」

ドキッとした。あのヒョウはヤマアラシを食べようとしてるわけだ。

「ヤマアラシなんか食べておいしいのかなぁ？」

ユキムラが言うと、ガイドさんが答えた。

「ヒョウはインパラとかをおそうイメージがあると思いますけど、なんでも食べますよ。小型動物《こがたどうぶつ》に鳥や魚、昆虫《こんちゅう》だって。」

しばらくすると、ヤマアラシは完全に追いつめられた。穴《あな》にかくれようとしたが、体が入らない。

「賭《か》けをしようか。ヒョウとヤマアラシ、どっちが勝つか。」

ユキムラが言った。

ヤマアラシは穴《あな》に入るのをあきらめ、一度ヒョウのほうをふりかえったが、すぐにおしりを向けてしまった。あ〜あ、こりゃダメだ。

「ヒョウが勝つに決まってるじゃないか。」

「じゃあ、おまえはヒョウが勝つほう、オレはヤマアラシに賭《か》けるってことで。負けたほうが晩飯《ばんめし》をおごること。」

「いいよ。」

ユキムラはこれ、勝つ自信あるのかな。ヤマアラシは背中《せなか》にトゲがあるけどフサフサした感じだし。もっと大きい動物だってラクにしとめるヒョウが負けるわけないじゃないか。

ところが。結局、晩飯《ばんめし》をおごったのはオレだったのだ。

ヤマアラシはトゲを持っているとはいえ、60～90センチほどの小さい動物だ。鋭《するど》いツメとキバを持つヒョウに、ヤマアラシはどのように立ち向かったのだろうか。

解説《かいせつ》　ヤマアラシ

ヤマアラシの背中《せなか》とわき腹《ばら》、そしてしっぽの部分には「針毛《しんもう》」と呼《よ》ばれるかたい毛が生えている。「毛」とはいってもかなり太く、先は鋭《するど》くとがっていて、ゴム長《なが》ぐつやアルミ缶《かん》も貫通《かんつう》するといわれる。

ヤマアラシがヒョウにおしりを向けたのは攻撃開始《こうげきかいし》のかまえ。ふだんは寝《ね》かせている針毛《しんもう》を逆立《さかだ》て、おしりからヒョウに突進《とっしん》したのである。針毛《しんもう》はほかの動物に刺《さ》さるとスッとぬけるが、毛の表面に矢のような「返し」があるためにぬけにくい。

たくさんの針毛《しんもう》が刺《さ》さったヒョウは、たちまち逃《に》げ出した。もちろん動物は自分で針毛《しんもう》をぬくことができない。たくさんの傷《きず》からばい菌《きん》が入り、感染症《かんせんしょう》を起こして死ぬこともある。内臓《ないぞう》まで達することもある針毛《しんもう》はライオンやヘビなどにも有効《ゆうこう》な武器《ぶき》だ。ぬけても新しいものがどんどん生えてくる。とはいえ、必ずヤマアラシがヒョウに勝てるとはかぎらない。先に針毛《しんもう》のない頭のほうをかまれたり、ひっくり返されて腹《はら》を攻撃《こうげき》されればひとたまりもないはずだ。

30

少年探偵《たんてい》ポロロと挑戦状《ちょうせんじょう》

危険《きけん》↓なぜ?

「挑戦状《ちょうせんじょう》」と書かれたふうとうが、事務所《じむしょ》の郵便受《ゆうびんう》けに入っていたのは、今朝のことだ。

開封《かいふう》すると、中には4つにおりたたんだ紙が入っていた。

「『これは少年探偵《たんてい》ポロロへの挑戦状《ちょうせんじょう》である。Z《ゼット》公園に行き、一番高い木の根もとを掘《ほ》れ。怪人《かいじん》99面相より』だって。アーサー、どう思う?」

怪人《かいじん》99面相とは、有名な犯罪者《はんざいしゃ》だ。ぼくはたびたび彼《かれ》を追いつめているのだが、残念ながら逮捕《たいほ》にはいたっていない。

助手のアーサーは鼻息を荒《あら》くして言った。

「どういうつもりかわからないけど、挑戦《ちょうせん》は受けて立つべきだと思うよ、ポポロくん。逃《に》げたと思われたらナメられるぞ。」

ぼくは紙をポケットに押《お》しこんだ。

「そうだな。よし、出かけるぞ！」

Z《ゼット》公園の一番高い木を探《さが》し当てるのはかんたんだった。その根もとを掘《ほ》りかえすと、カプセルに入った紙が出てきた。

「『大きい手を見ろ』だって？　なんのことだろう？」

アーサーは自分の両手を開いてながめている。

「たぶん、あれだろう。」

思った通り、次のメッセージはヤツデの葉のうらにはりつけられていた。

「お次は『ウニの中を探《さが》せ』だとさ。さあ、この公園の中でウニに似《に》ているものはなんだと思う？　アーサー、きみもたまには頭を使いたまえよ。」

アーサーは自信なさそうに言った。

「ウニと同じようにトゲがあるから、クリかなあ……。」

ぼくらは公園のかたすみにクリの林を見つけ、落ちているイガがあまりにたくさんなのにうんざりしたが、そばに池があるのを見てひらめいた。

「ほら、池に1つだけクリのイガがうかんでるぞ。あれがあやしいな。」

本来、ウニは海にあるわけだし。思った通り、アーサーがはだしになって取ってきてくれたイガの中には、ビニールに包まれた紙が入っていた。

こんなふうに、99面相のメッセージによって公園のあちこちを歩き回らされたあげく、ついにぼくらは最後のメッセージに行きついたのだ。


その紙には「ご苦労様。これで最後だ。ここから西の方角に50歩進み、三角の葉っぱを探《さが》せ」とある。西に50歩数えて歩くと、公園のはずれに出てしまった。管理されていない空き地みたいな感じで、雑草《ざっそう》が生いしげっている。三角の葉っぱをつけた植物なんて見当たらないが……。

「何かの葉っぱを三角形に切ったとか？」

「そんなの探《さが》すのに時間かかりすぎるだろ!?」

しかし、ここであきらめるのも腹《はら》が立つしなぁ。

そう思っていると、アーサーのうれしそうな声がした。

「ポロロくん、あったよ！　これだ！」

ススキの葉の先っぽが丸めてあって、ちまきみたいな三角形になっていたんだ。

「ちょっと待て！　アーサー、それにさわるな！」


アーサーが見つけた「ちまき」のように巻《ま》かれたススキの葉こそ「三角の葉っぱ」にちがいない。ポロロが、葉っぱを開こうとするアーサーを止めたのはなぜだろうか。

解説《かいせつ》　カバキコマチグモ

丸めた葉は、毒《どく》を持つカバキコマチグモの巣なのである。カバキコマチグモのメスは、ススキやイネなどイネ科の植物の葉を丸めて作った巣の中で卵《たまご》を産む。クルンと丸めた葉を見たら気になってしまうが、開けるのは厳禁《げんきん》。巣をこわすと、中のカバキコマチグモに指をかまれることがある。巣を見かけたら近くにいる可能性《かのうせい》があるので、その場から遠ざかることだ。このクモは日本全国におり、農作業中の人がかまれるケースが多い。

カバキコマチを漢字で書くと「樺黄小町《かばきこまち》」。体が黄色く、あごの先だけが黒い。体長は1センチ前後と小さいが強力な毒《どく》を持っている。かまれた場所は赤く腫《は》れて、何日か痛《いた》みやしびれが残る。日本では死亡例《しぼうれい》はないが、海外では死亡《しぼう》したケースが報告《ほうこく》されている。もしかまれたら患部《かんぶ》をやさしく流水で洗《あら》い、病院へ。

怪人《かいじん》99面相は、ポロロの対抗心《たいこうしん》にうったえておびき出し、ひと泡《あわ》ふかせようと試みたが、作戦は失敗に終わった。

31

少年探偵《たんてい》ポロロとスズメバチ

危険《きけん》→なぜ？

秋の初めのさわやかな光がさしこむ部屋の中で、ぼくと助手のアーサーはまるで石でできた彫像《ちょうぞう》のように身動きもせず立ちつくしていた。

ぼくとアーサーは、依頼人《いらいにん》から招待《しょうたい》を受けてこの山荘《さんそう》にやってきた。次々《つぎつぎ》に起こった殺人事件《さつじんじけん》の謎《なぞ》をぼくの華麗《かれい》なる推理《すいり》で解明《かいめい》し、いよいよ犯人《はんにん》を割《わ》り出したのだが……。

今や、ぼくたちはたいへんな危機《きき》にさらされている。ついさっき山荘《さんそう》の窓《まど》から侵《しん》入《にゅう》してきたスズメバチの行く先を、息をひそめて目で追っているのだ。

ヤツが飛びこんできたとき、ぼくはすぐにピンときた。それで、丸めた地図をふり上げようとしたアーサーに「やめろ」と言ったんだ。

「こいつはスズメバチだ。ハチは刺激《しげき》すると向かってくるぞ。大きい声を出すのもダメだ。静かにじっとして、出ていくのを待つんだ。」

それから5分ほど「石」になっているが、スズメバチは全然出ていく気配がない。テーブルの上にとまり、カーテンにとまり……「頼《たの》む、窓《まど》から出てってくれ！」と願うが、また部屋の中を飛び回る。

「ポロロくん、これ本当にスズメバチなんだろうね？」

アーサーがイライラした口調で言う。

「まちがいない。とにかくじっとしてろよ。知ってると思うけど、スズメバチに刺《さ》されたら死ぬことだってあるんだからな。」

「1匹《ぴき》いるってことは、近くに巣があるってこと？　仲間が大群で来たらどうする？」

アーサーのヤツ、いやなことを言うなぁ。

「ポロロくん、どうにかして殺《ころ》せないの？　そこに虫よけスプレーがあるじゃない。」

「スズメバチ専用《せんよう》の殺虫剤《さっちゅうざい》じゃなきゃ、効《き》かないよ。」

「殺虫剤《さっちゅうざい》じゃなくても、ゴキブリに洗剤《せんざい》をかけたら死ぬとか言うし。一応《いちおう》試してみない？」

あせるのはわかるが、アーサーはムチャクチャなことばっかり言う。

「じょうだんじゃない。変に刺激《しげき》すると危《あぶ》ないぞ。きみはスズメバチのこわさをわかってなさすぎる。」

そう。ぼくは知っている。スズメバチの危険《きけん》さを。

スズメバチが入ってきたのはきっとぐうぜんじゃない。犯人《はんにん》がぼくのことを調べあげ、この部屋に放ったにちがいない。

ぼくはそっとしゃがみこむと、床《ゆか》にしいてあるぶ厚《あつ》いじゅうたんにくるまった。

すると、アーサーがなさけない声を出した。

「ちょっとちょっと、ポロロくん。ずるいよ、自分ばっか。ぼくはどうなるの……？」

ぼくはじゅうたんのすきまから少し顔を出して言った。

「悪いな、アーサー。だけど、ぼくがいつも公平なふるまいを心がけていることはわかっているだろう？　もし刺《さ》されたら、ぼくは……きみよりも死ぬ確率《かくりつ》が高いんだ。」


ポロロは自分がスズメバチに刺《さ》された場合、「アーサーより死ぬ確率《かくりつ》が高い」と言う。どんな理由が考えられるだろうか。

解説《かいせつ》　スズメバチ

スズメバチのような強い毒《どく》を持ったハチに刺《さ》されると、短時間で「アナフィラキシー・ショック」という強いアレルギー反応《はんのう》を起こす場合がある。じんましんや呼《こ》吸困難《きゅうこんなん》が起こり、重症化《じゅうしょうか》すると死の危険《きけん》もある。刺《さ》されるのが人生で「2回目以《い》降《こう》」だと、アナフィラキシーが起きやすくなるといわれる。ポロロは過去《かこ》にスズメバチに刺《さ》されたことがあるので、「アーサーより死ぬ確率《かくりつ》が高い」と言ったのだ。

ハチを見かけたら、大声を出したり追いはらおうと手をふり回したりせずにじっとして、去るのを待つ。ポロロたちは「石」になる作戦で、無事にスズメバチをやりすごすことに成功した。もし、スズメバチに刺《さ》されてしまったら、スズメバチを刺激《しげき》しないように距離《きょり》を取り、すぐ病院へ。毒《どく》を手でしぼり出し、水で洗《あら》う応急処《おうきゅうしょ》置《ち》は有効《ゆうこう》だ。ハチの巣を見つけたら絶対《ぜったい》に近寄《ちかよ》らず、大人に知らせよう。大群が相手だと、さらに危険性《きけんせい》は増《ま》す。スズメバチ以外の、1匹《ぴき》の持つ毒《どく》はたいしたことはないような虫でも、一度に何十か所も刺《さ》されれば話は別だ。

32

少年探偵《たんてい》ポロロと猛獣《もうじゅう》

危険《きけん》→対処《たいしょ》？

13年か。短い人生だったなぁ。

天才と呼《よ》ばれた少年探偵《たんてい》ポロロがこんな死に方をするなんて、いやだなぁ……。

ぼくは、このサーカスで起こった連続殺人事件《れんぞくさつじんじけん》を解決《かいけつ》するために招《まね》かれた。聞きこみ調査《ちょうさ》と現場検証《げんばけんしょう》、そしてぼくの天才的な頭脳《ずのう》によって犯人《はんにん》を見つけ出すことができたのだ。しかし、敵《てき》は最後の反撃《はんげき》をしてきた。犯人《はんにん》はライオンの飼育《しいく》を担当《たんとう》している団員《だんいん》で——彼《かれ》は、ぼくと助手のアーサーを用具置き場におびき出したのだ。

戸口から、オスのライオンがのっそりと入ってくるまで、ワナだと気づかなかったのは大失敗だった。

「ど、どうしよう……ポロロくん。」

アーサーはガタガタふるえている。

「飛びかかられたら、勝ち目はないな。銃《じゅう》でも持ってないかぎり、人間はたちうちできないよ。」

「そんなぁ……。」

「いや、あきらめるつもりはないよ。できるだけのことはやってみよう。」

ぼくはグッと手をにぎりしめ、アーサーにささやいた。

「ライオンはネコ科の動物だから、チョロチョロ逃《に》げ回ると興味《きょうみ》を持たれるぞ。動作はゆっくりすること。それから、背中《せなか》を向けないこと。視線《しせん》を合わせてにらむんだ。ぼくらのほうが強いと思わせろ。」

ぼくはライオンの目をじっと見つめた。しかし、ライオンの顔ってなんて大きいんだろう！

ライオンは1歩、2歩とこっちに近づいて足を止めた。

ふう……。

心臓《しんぞう》がバクバクする。後ろを向いてしゃがみこんでしまいたいけど、それは一番ダメなやつだ。

「あ、そうだ。大型動物《おおがたどうぶつ》には、できるだけ自分を大きく見せるのがいいんだ。」

このライオンの体高（4本足で立ったときの背中《せなか》までの高さ）は、1メートル以上ある。ぼくは身長155センチだから、少しでも大きく見せないと。

ぼくはゆっくりと両手を広げた。アーサーもぼくのマネをする。

「ひるむな。絶対《ぜったい》に、後ろに下がっちゃダメだぞ。」

こうアーサーに言い聞かせたけど、ぼくだって気持ちは限界《げんかい》に近づいている。

ライオンはまた少し、ぼくらのほうに歩み寄《よ》った。ライオンとの間はもう4メートルくらいしかない。こんな距離《きょり》、ライオンはひとっ飛びだよね。

グルルル……。

低いうなり声が聞こえた。

続いて大きなキバを見せつけながら「ガオッ」と声を上げる。

威《い》かくしてるのか？
このまま見つめてるだけじゃヤバいかもしれない。別の手を打たないと……。
ぼくはゆっくりとうでを動かし、背後《はいご》に立てかけてあった2本のモップをつかんだ。

ライオンがおそいかかってきそうな大ピンチ。ポロロは生き残りをかけて、ついに2本のモップを手にした。これからどんな行動をとるのだろうか。

解《かい》説《せつ》　ライオン

ポロロは両手にモップを1本ずつ持ち、ゆっくりと棒《ぼう》の先をライオンに向けた。すると、ライオンはくるりと背《せ》を向けて部屋を出ていったのだ。これは、ライオンがスイギュウなどのツノをおそれるためである。この方法で絶対《ぜったい》に撃退《げきたい》できるとはかぎらないが、百獣《ひゃくじゅう》の王と呼《よ》ばれるライオンだってほかの動物に負けることはある。巨大《きょだい》で大きなツノのあるスイギュウはもっとも苦手とする相手だ。棒《ぼう》があったらたたくのではなく、突《つ》くのが有効《ゆうこう》だという。ただし相手がおそいかかってこないのに攻撃《こうげき》してはいけない。

ライオンは体長2〜3メートル、体重は250キロにもなる。ツメもキバも鋭《するど》いから、軽く飛びつかれただけで致命傷《ちめいしょう》を受けかねない。

ゆっくり動く、目を合わせる、自分の体を大きく見せるのは基本《きほん》。おそいかかられたらバッグや物を投げよう。ライオンにぶつけてはダメ。興味《きょうみ》をそらすために投げるのだ。その間に逃《に》げることができるかもしれない。運がよければ……。

33

弁当《べんとう》どろぼう

危険《きけん》↓なぜ？

手を洗《あら》って、ベンチにもどってくるとバッグがなくなっていた。確《たし》かにここに置いたはずなんだけど。

「オレのバッグ、知らねえ？」

となりのベンチに座《すわ》っていたユウイチに聞いたが、知らないと言う。

「何が入ってたの？」

「弁当《べんとう》だよ。」

きょうは中学の学年行事でハイキングに来ている。だれかがいたずらしてかくしたのかと思ったけど、そうじゃないとすると……置き引きってやつか⁉

「弁当《べんとう》だけ？　そんなの盗《ぬす》むかなぁ？」

「さいふが入ってないってわかったら、その辺に捨《す》てていくかもよ。」

「まあ、見つからなかったらオレの分けてやるからさ。」

友だちになぐさめられ、歩き出したけど……へこむなぁ。


「あ、あれじゃね？」

ユウイチが指さすほうを見ると。道の真ん中に、黄色いバッグがポツンと捨《す》てられている。そして、その向こうにはサルが数匹《すうひき》座《すわ》りこんで、おにぎりやフライドチキンをガツガツ食べてたんだ。むかつくなぁ。

せめてバッグだけは取り返そう。歩き出そうとするとユウイチが言った。

「サルって飛びかかってきたりするから気をつけろよ。」

「そうか。気をつけるよ。」

気をつけるとは言ったものの、どう気をつければいいんだ？

クマの対処法《たいしょほう》は本で読んだことがあるけど。大型動物《おおがたどうぶつ》に遭遇《そうぐう》したら、たいていは

「こっちが強い」ことをアピールするのが鉄則《てっそく》なんだよな。目を合わせてそらさない、手を広げて体を大きく見せるとか。あとはビクビクしない、逃《に》げないこと。胸《むね》をはって、ゆっくり歩き出したとき。オレは、別の方向から視線《しせん》を感じて足を止めた。

背《せ》が高くてガッチリした、見るからにヤンキーっぽい男がすごい目つきでオレをにらみつけていたんだ。そいつの後ろにいる仲間もめちゃくちゃガラが悪そうだ。オレは思わずひるんだ。もしかしてヤバいヤツ？　カツアゲされる？　えーと、大《お》柄《がら》のヤンキーに遭遇《そうぐう》したときはどうすりゃいいんだ⁉

主人公の前に、強そうなヤンキーが現《あらわ》れてにらみつけてきた。じつは、ヤンキーは主人公に注意をうながしている。ヤンキーの態《たい》度《ど》にはどんな意味があるのだろうか。

解説《かいせつ》　サル

多くの野生動物には「目を合わせ、そらさない」ことが有効《ゆうこう》だが、サルは例外。サルの場合は、目を合わせると「ケンカを売っている」と判断《はんだん》されてしまうので、遭遇《そうぐう》したら目を合わさずに立ち去るべきなのだ。通りすがりのヤンキーは地元の住人でサルの特性《とくせい》をよく知っていた。主人公がサルのほうに目を見開いて向かっていくのを見て、止めようと考えた。しかし、大声を出すとサルが興奮《こうふん》する可能性《かのうせい》がある。そこで、まず自分がにらみつけ、主人公の気をサルからそらして近づいていったのだ。主人公は説明を受け、ヤンキーに深く感謝《かんしゃ》したという。

野生のニホンザルは各地の山や森林に生息するが、人間の生活圏《せいかつけん》にも出現《しゅつげん》する。数匹《すうひき》で現《あらわ》れ、びっくりしたすきをねらって買い物袋《ぶくろ》をうばうなどのケースが報告《ほうこく》されている。野生動物には絶対《ぜったい》にエサをやってはいけない。サルに遭遇《そうぐう》したら、あわてずさわがず。目はクールにそらし、堂々《どうどう》としていよう。もしかみつかれた場合は、感染症《かんせんしょう》の心配があるので必ず病院にかかること。

34

海辺の手品

危険《きけん》↓なぜ？

海水って、ホントにプールの水よりうきやすいな。

あおむけになって体をうかせながらそんなことを考えていた。

ギラギラ照りつける日差しがまぶしい。

大空には鳥たちがゆうゆうと舞《ま》っている。はばたきもせずにラクラクと風に乗っていて、気持ちよさそうだな。空を飛ぶってどんな感じなんだろう。

……なんて、ガラにもないことを考えたりしていると、父さんがこっちに近づいてきた。

「リュウイチ！　おまえたち、海に入りっぱなしじゃないか？　そろそろ休憩《きゅうけい》をとるんだぞ。ちゃんと水分もとって！」

「はーい、わかってるよ！」

きょうは、父さんが海水浴に連れてきてくれたんだ。オレと妹に「友だちを2人ずつさそっていい」って言ってくれて。父さんは、まだ小学3年の妹たちにつきっきりだ。海では事故《じこ》が心配だから、必ず3人で行動するように言い聞かされている。

「ハルト、ダイ、父さんが上がって休めって！」

「わかった〜。」

「了解《りょうかい》！」

少しはなれたとこで、いつのまにかオレのマネしてプカプカういてた2人が返事をした。


浜《はま》に上がると、オレとダイはまずトイレに行った。

それから黄色いレジャーシートにもどると、水筒《すいとう》の麦茶を飲んで、リュックのそばに置いておいたコンビニ袋《ぶくろ》に手をつっこむ。

あれ？　ハンバーガーがない。リュックの中に入れたんだっけ？……と思ったけどやっぱりない。さては……。

オレはシートに寝《ね》そべっているハルトをつついた。

「ハルト。おまえ、オレのハンバーガー食っただろ？」

「は？　食ってねーよ。」

とぼけやがって。ハルトって、こういうことするヤツなんだよ。前に給食のプリンを食われたことあるし。

「この袋《ふくろ》に入れといたのに、ないんだよ。おまえだろ？」

「オレじゃないってば。」

どこまでもしらばっくれるつもりらしい。ハルトは「あ～、そういや腹《はら》へったな」って言いながらコンビニ袋《ぶくろ》をガサガサやって……それから急にオレのほうを向き直った。

「自分こそ、オレのカレーパン取っただろ。オレはおまえのハンバーガーなんか食ってないのに……なんなんだよ!?」

「え？　そんなことしてないよ！　人の食べ物とるわけないじゃん。おまえじゃあるまいし。」

「しつこいな。オレは食ってないって言ってんだろ!?」

「正直に言えよ。オレがトイレ行ってる間に食ったんだろ!?」

オレとハルトがにらみ合ってると。

「2人ともケンカしないでよ。」

ダイが間に入ってきた。

「ぼくのおにぎり、いっしょに食べようよ。たくさんあるからさ。うちの母さんが作ったおにぎり、うまいんだよ。」

モヤモヤしてたけど、ここで取っ組み合いしたらさわぎになって、父さんに怒《おこ》られるだろう。ひとまず、ダイのおにぎりをもらっとくか。

ダイは包みを開いておにぎりを取り出す。

「シャケとタラコとうめぼし、どれがいい？」

「シャケ！」

「え〜と、オレはうめぼし！」
ダイが、「はい、シャケ」とハルトにでっかいおにぎりを差し出した、その瞬間《しゅんかん》。
ダイの手の上からおにぎりが消えた。
目をパチクリしているダイのほおには、血がひとすじ流れている。
なるほど。こういうわけだったのか。
ハンバーガーとカレーパンが消えたのは。

ダイの手の上からおにぎりが瞬時《しゅんじ》に消えた。主人公はその瞬《しゅん》間《かん》を見て、ハンバーガーとカレーパンを盗《ぬす》んだ犯人《はんにん》と同じだと確信《かくしん》したらしい。犯人《はんにん》はどんなヤツだろうか。

解説《かいせつ》　トビ

犯人《はんにん》は海辺から高山など、日本全国に生息するトビという全長60センチほどの鳥だ。主人公は、トビが突然現《とつぜんあらわ》れ、おにぎりをうばって飛び上がる光景を間近で見たのである。トビは背中《せなか》ごしに現《あらわ》れ、エサをつかむと速度を落とすことなく急上昇《きゅうじょうしょう》する。とられた人は何が起こったかわからないくらいのスピードだ。ダイのほおの傷《きず》は、トビのツメがかすったためだ。

トビは、ワシやタカと同じ猛禽類《もうきんるい》の仲間。猛禽類《もうきんるい》は肉食性《にくしょくせい》で、鋭《するど》いツメとクチバシを持つ。ミミズや昆虫《こんちゅう》、カエルなどを獲物《えもの》とするが、なんでも食べる。トビはとても視力《しりょく》がいい。空を飛びながらエサを探《さが》し、見つけると急降下《きゅうこうか》してかっさらっていく。頭もよく、食べ物が入っていそうなコンビニ袋《ぶくろ》などもねらってくる。観光地にいるトビは人間の文化に慣《な》れているので、食べ物はちゃんとバッグにしまったり、上から食べ物が見えないようにしよう。トビは空を飛ぶときにほとんど羽ばたかず、上昇気流《じょうしょうきりゅう》を利用して輪をかくように舞《ま》い上がるのが特徴《とくちょう》だ。

35

現代社会《げんだいしゃかい》の浦島太郎《うらしまたろう》

危険《きけん》↓なぜ?

「オレ、こんなデカいカメ初めて見たよ!」

下校中、住宅地《じゅうたくち》の真ん中でオレたちは珍《めずら》しいものを見つけて興奮《こうふん》していた。

「っていうか、こいつなんなの? 公園の川から逃《に》げてきたのかな。」

「公園の川にはこんなのいないよ。もっと小さいカメが泳いでるのは見たことあるけど。」

オレは、ランドセルからサッとものさしを引きぬくとカメの甲羅《こうら》に当ててみる。

「甲羅《こうら》だけでも40センチ以上あるよ。50センチくらいかな?」

「上に乗れそうだなぁ。カメタクシー、なんちゃって。」

ハルトは、カメをまたいで腰《こし》を落とすようなかっこうをしてみせた。

「無理だよ。浦島太郎《うらしまたろう》じゃあるまいし……。でも、ネコくらいなら運んでくれそうだよね。」

ダイはあたりを見回した。

「それにしてもデカいなぁ……。」

ワニみたいな長いしっぽを引きずってまっすぐ進んでいくカメのあとをついて歩きながら、オレはカメを観察した。

足は太短いけど、歩くスピードは思ったほどのろくない。5本の指を広げて歩く足もとは怪獣《かいじゅう》みたいだ。

「目が黒くてかわいい顔してるよね。これ、飼《か》っちゃダメかなあ。」

ダイがニコニコして言った。

「こんなデカいの、飼《か》うのたいへんだろ？　それにしてもどこから来たのかね。」

カメが足を止めたので、オレたちも立ち止まった。

オレは何気なく、ものさしをカメの口のほうに差し出してみた。

すると……。

「こらこら！　きみたち、カメにいたずらしちゃダメだよ！」

知らないおじいさんがすっとんできて、ものさしを取り上げたんだ。

「うそ！　まさかの浦島太郎《うらしまたろう》、登場⁉」

ハルトがこうつぶやいたんで、オレもダイも爆笑《ばくしょう》した。

おじいさんはオレたちとカメの間に割《わ》りこみ、スマートフォンを取り出した。

「ほら、そこの電柱のとこに並《なら》んで立ってろ。そこにいろよ。すぐ警察《けいさつ》を呼《よ》ぶからな！」

おじいさんは、オレたちに背《せ》を向け、電話でしゃべっている。

「マジかよ。警察呼《けいさつよ》ぶとか、大げさじゃね？」

ハルトはおじいさんに聞こえるようにわざと大きい声を出した。

「ぼくたち、逮捕《たいほ》されるの？」

ダイは青い顔をしている。

そんなぁ……カメにかまったくらいで逮捕《たいほ》されるわけないだろ？　ただ、ものさしを向けてカメにくわえさせようとしただけだ。でも、これって動物虐待《どうぶつぎゃくたい》とかになるのかな？

おじいさんは電話を切ると、オレたちのほうに歩いてきた。

そして、オレの手をつかんで言ったんだ。

「カメを助けたんじゃない。おまえたちを助けたんだ。」

おじいさんは、主人公たちをカメから助けたと言う。警察《けいさつ》を呼《よ》んだのはなぜか。主人公にはどんな危険《きけん》があったのだろうか。

解説《かいせつ》　カミツキガメ

主人公たちが出会ったのはカミツキガメだ。カミツキガメは目の前のものにすばやくかみつくので、手を出したり棒《ぼう》でつついたりすると危《あぶ》ない。ある程度距離《ていどきょり》をとっていても、手を引っこめるのが追いつかないほどのスピードで長い首をのばして飛びついてくる。かむ力がとても強く、指を食いちぎられてしまう場合もある。

カミツキガメの生息地は北アメリカから南アメリカ。赤ちゃんのころは手のひらに乗るくらいのサイズだが、数年で甲羅《こうら》の大きさが最大50センチほどになる。日本では輸入《ゆにゅう》したものがペットとして売られていたが、大きくなると飼《か》いきれずに捨《す》てる人が多く、全国的に大きな問題になっている。捨《す》てられたカメは野生化して数が増《ふ》え、自然の生態系《せいたいけい》に影響《えいきょう》をあたえているのだ。今ではペットショップでの販売《はんばい》は禁止《きんし》されている。もしカミツキガメを見つけたら、絶対《ぜったい》に手を出さず、警察《けいさつ》に連絡《れんらく》すること。おじいさんが、主人公たちにその場にとどまるように言ったのは、カメをどこで見つけたか警察官《けいさつかん》に報告《ほうこく》させるためである。

36

箱の中身は？

危《き》険《けん》↓なぜ？

きょうは、あたしの12歳《さい》の誕生日《たんじょうび》。もちろんお父さんとお母さんが用意してくれてるプレゼントやバースデーケーキも楽しみなんだけど……じつは、一番心待ちにしてるのは、カオリおばさんからの宅配便《たくはいびん》なんだ。

カオリおばさんは、3年前から仕事の都合でブラジルに住んでる。毎年、あたしの誕生日《たんじょうび》にプレゼントを贈《おく》ってくれるんだ。去年は、ハデなチャームがついたサンダルとロゴつきのキャップ。それにお父さんの大好きなコーヒー豆や珍《めずら》しいお菓子《かし》も入ってた。何が出てくるかわからない宝箱《たからばこ》みたいなの。

あたしが学校から帰ってすぐ、配達の人がやってきてカオリおばさんからの宅配《たくはい》便《びん》を受け取れた。タイミングばっちり！

あ〜、お父さんとお母さん、早く帰ってこないかな。

ヒマだからテレビをつけると、画面いっぱいに茶色いアリみたいなのが映《うつ》った。

うわ、気持ち悪い〜！

反射的《はんしゃてき》にテレビを消そうとして、あたしは立ちすくんだ。

ニュースキャスターの人が言うには、「外国からの貨物が届《とど》く港で、ヒアリっていう危険《きけん》な虫が発見された」って。ヒアリは毒《どく》を持ってて、刺《さ》されたら死んじゃうこともあるんだって。

あたしは玄関《げんかん》にあるカオリおばさんのダンボール箱をじっとながめた。

この箱にヒアリがひそんでたらどうしよう。

そう思ったら心配でしょうがなくなった。

そうだ。家の外に出せばいいじゃん！

あたしはスニーカーをはくと、ドアを開けてダンボール箱を足で外に押《お》し出した。

よし、これでひとまず安心！

それから30分くらいでお母さんが帰ってきたから、あたしはホッとした。

お母さんが「なんでダンボール箱を外に出してあるの？」って聞いてきたから、ニュースで聞いたことを説明すると。

お母さんは言ったんだ。

「そういうふうに、万が一の危険《きけん》を考えて行動するのはいいことだよ。でも、ヒアリがいる心配をしたんだったら、箱を外に出さないほうがよかったね。」

お母さんは、主人公の危機感《ききかん》を持った行動をほめた。その一方で、「箱を家の外に出すのはよくない」と言ったのはなぜだろうか。

解説《かいせつ》　ヒアリ

ヒアリは南アメリカ中部に生息するアリだ。船や飛行機に積まれたコンテナなどにまぎれてほかの国に侵入《しんにゅう》、定着することが問題視《もんだいし》されている。日本でも２０１７年に初めて確認《かくにん》され、注意が呼《よ》びかけられている。ヒアリを発見したら素手《すで》でさわらず、ただちに役所に報告《ほうこく》しよう。お母さんは「もしヒアリが箱にひそんでいたら、野外に逃《に》がしては大問題」だと考え、「外に箱を出してはいけない」と言ったのだ。危機管理意識《ききかんりいしき》の強いりっぱなお母さんである！　このあと箱をしんちょうに開けてすみずみまで確認《かくにん》したが、幸いヒアリはいなかった。主人公は無事に楽しい誕生日《たんじょうび》を過《す》ごしたという。

　ヒアリは体長は4ミリほどと小さいが「殺人《さつじん》アリ」とおそれられる存在《そんざい》だ。強いあごでかみつき、おしりの針《はり》から毒《どく》を注入。刺《さ》された瞬間《しゅんかん》は火のような熱と痛《いた》みがある。刺《さ》された直後に体調不良、呼吸困難《こきゅうこんなん》やめまいなどを感じたら、アナフィラキシー・ショックのおそれがある。命の危険《きけん》もあるのですぐに病院へ。

37

人なつこいケモノ

危険《きけん》→対処《たいしょ》？

アキノは妹のランと近所の公園でマツボックリを集めていた。アキノは小学6年生。学校の手芸クラブでマツボックリのクリスマスリースを作って持って帰ったら、ランがうらやましがって大さわぎした。そこで、家でいっしょに作ることになったのだ。

「できるだけ形のいいのを探《さが》してね。マツカサがこんなふうに開いてるの。」

「わかった！」

ランは1つずつマツボックリを拾っては、真剣《しんけん》にながめている。

「ねえ、お姉ちゃん、変な形のがあったよ。」

アキノは、ランから受け取ったマツボックリをしげしげと見た。あちこちけずれて、細くなっている。

「なんかの動物がかじったみたいだね。」

「なんかの動物って？」

「うーん、なんだろ。タヌキとか？　カラス？」

「ずいぶんたくさん集まったしそろそろ帰ろうかな」と思って立ち上がったとき、ランは「カリカリ」という小さな音に気づいた。

ふり向くと、木のふたまたに分かれたところにリスが座《すわ》ってマツボックリをかじっている。

「お姉ちゃん、リスがいるよ！　かわいい！」

「ホントだ！」

「さっきのマツボックリ、リスさんの食べかけだったんだね。」

ランは目をキラキラさせてリスを見つめている。

アキノはそのリスを観察しながら、ちょっと変わったリスだなと思った。

（シマリスともちがうし、動物園のリス園で見たニホンリスともちがう種類《しゅるい》みたい。）

「こっち見てるよ。逃《に》げないし、もしかしたら人に飼《か》われてたのかも。」

アキノが言ったのと、ほぼ同時だった。

ピョン！

リスはマツボックリをはなすと、ランの右肩《みぎかた》に飛び乗ったのだ。ランはうれしそうに笑ったが、すぐに不安げな顔になった。

「お姉ちゃん、こわい……。」

身長130センチほどのランの肩《かた》に乗ると、リスは意外と大きく見える。

ランは、こわごわ左手を上げかけている。リスをはらおうとしているのがわかって、アキノはあわてて言った。

「手でさわっちゃダメ。危《あぶ》ないから。」

「え、じゃあどうするの……？」

「あたしの言う通りにして。」

アキノとランはマツボックリがたくさん入った袋《ふくろ》をさげて、公園をあとにした。

「ラン、リスはクルミだってかじるくらい歯がじょうぶだからね。かみつかれたらたいへんだから、今度見かけても手を出しちゃダメだよ。」

「うん、わかった。それと……手を使わないでどいてもらうやり方も覚えたからね！」

ランは安心した顔でほほ笑むと、アキノの手をぎゅっとにぎりしめた。


リスが肩《かた》に乗ったときに、手ではらうのは危険《きけん》だ。では、安全に去ってもらうには？　アキノはどんな方法をランに教えたのだろうか。

解説《かいせつ》　タイワンリス

リスの前歯はとても鋭《するど》い。クルミやドングリを前足で持ってかじる姿《すがた》は愛らしいが、もしその歯で指をかまれたら貫通《かんつう》してしまうかもしれない。だから、リスが体に乗ってきたとき手ではらうのは危《あぶ》ないのだ。アキノが教えた方法は、とてもかんたん。ピョンと軽くジャンプするだけでいい。リスはそのはずみで下りていってくれる。これは、リスとふれあえる動物公園などで、紹介《しょうかい》されている方法だ。

2人が見つけたのはタイワンリスだ。正式な名前はクリハラリスという。タイワンリスは、日本にもとから生息しているニホンリスとはちがい、外国から輸入《ゆにゅう》されたものだ。動物園や、個人《こじん》がペットとして飼《か》っていたものが逃《に》げ出し、野生化したとみられている。タイワンリスは気性《きしょう》が激《はげ》しく、人間を攻撃《こうげき》することもあるという。タイワンリスが森林の木の皮をはぎとったために木が枯《か》れてしまう、人家や農作物を荒《あ》らす、電線をかじるなどの被害《ひがい》も報告《ほうこく》されている。見つけた場合は、地域《ちいき》の役所などに連絡《れんらく》しよう。

38

拾ってはいけない

危険《きけん》↓なぜ？

海水浴シーズンもそろそろ終わりをむかえるころ、ジュンとお父さんは浜辺《はまべ》を歩いていた。

夏休みの宿題の工作に使うために拾い集めた流木や貝がらで、ジュンのトートバッグはいっぱいだ。いろんな色のシーグラスもある。シーグラスとは、ガラスのかけらのことだ。海をただよっている間にとがったところが丸くけずれて、きれいな石のように見える。

もう収穫《しゅうかく》は十分だったが、ジュンはゴミ拾いに精《せい》を出し始めていた。

休日にお父さんと2人だけでいるのが楽しくて帰りたくないせいもあるし、こんなにきれいな海辺がゴミだらけなのが許《ゆる》せないせいでもある。

「まったく、こんなにゴミが散らかってるなんてどうかしてるよ。ゴミを捨《す》ててくのってたいてい大人だよね。」

ジュンは、半分砂《すな》にうまったポテトチップの袋《ふくろ》を引っぱり出す。お父さんは苦笑して、ゴミ袋《ぶくろ》の口を開けた。

「ジュンの言う通りだな。でも、お父さんはゴミを散らかしたりしないぞ！」

「そうだよね。あ、あそこにもある！」

「ジュン、ちょっと待った。それはビニールじゃないぞ。」

ジュンが青いビニール袋《ぶくろ》のようなものに手をのばすのを、お父さんはサッと手を出してさえぎった。

「さわるな。これはカツオノエボシだ。」

「カツオノエボシ⁉」

「そう、電気クラゲとも呼《よ》ばれるやつだ。」

「ふーん、クラゲの仲間なの？」

お父さんは、そばに落ちていた棒《ぼう》を拾うと、それをつついて広げた。小ぶりの青みがかったビニールのようなものの下から、もつれた青いヒモみたいなものが出ている。

「これはクラゲの『触手《しょくしゅ》』だよ。今は乾《かわ》いてちぢんじゃってるけど、海の中にいるときはもっと長いんだ。この触手《しょくしゅ》から毒針《どくばり》を発射《はっしゃ》して獲物《えもの》をしとめるんだって。刺《さ》されるとめちゃくちゃ痛《いた》いらしいし、ショック症状《しょうじょう》を起こして死ぬ人もいるって聞いたことがある。」

「マジで？　こわいなぁ。」

そう言いながらもジュンは興味《きょうみ》しんしんでカツオノエボシをのぞきこみ、手をのばす。

「あっ！　さわるなって言ったろ！」

お父さんは、らんぼうにジュンの手をつかんだ。ジュンはなっとくがいかず、不満そうに口をとがらせた。

「珍《めずら》しいから、持って帰ってみんなに見せたいと思って。だって、これ死んでるじゃん。完全に。」

「死んでてもダメなものはダメだ。」

お父さんはきびしい口調で言った。


浜《はま》に打ち上げられたこのカツオノエボシはまちがいなく死んでいる。それでも危険《きけん》はあるのだろうか。

解説《かいせつ》　カツオノエボシ

たとえ死んでいても、毒針《どくばり》を発射《はっしゃ》することがある。触手《しょくしゅ》はなんらかの刺激《しげき》によって反射的《はんしゃてき》に毒針《どくばり》を出すので、この機能《きのう》がこわれていないかぎりは、刺《さ》される可能性《かのうせい》があるのだ。

カツオノエボシはクラゲの仲間。海の中では浮《う》き袋《ぶくろ》でプカプカと波にゆられてただよい、のびちぢみする触手《しょくしゅ》を長くたらして獲物《えもの》がぐうぜんにふれるのを待っている。魚が触手《しょくしゅ》にさわったのを感知すると毒針《どくばり》を発射《はっしゃ》。しびれたところを触手《しょくしゅ》をからませてつかまえ、栄養を摂取《せっしゅ》する。

刺《さ》されるとビリッと電気が走ったような痛《いた》みがある。刺《さ》された場合はすみやかに病院へ。呼吸困難《こきゅうこんなん》などのショック症状《しょうじょう》が出た場合は命の危険《きけん》があるので、すぐに救《きゅう》急車《きゅうしゃ》を呼《よ》ぼう。浜《はま》に打ち上げられて死んでいるものでさえ刺《さ》される危険《きけん》があるので、見かけた場合は海水浴場の監視員《かんしいん》などに知らせること。

39

海辺のコレクション

危《き》険《けん》↓なぜ？

ひとしきり泳いでくたびれたころ、それぞれに「海の収穫物《しゅうかくぶつ》」を探《さが》し出すのは海水浴の「あるある」だなぁ。

「あの岩場に小さいカニがたくさんいたぞ。」

「きれいなマキガイ拾っちゃった。」

「あたしのも見て。これペンダントにしようかな。」

なんて、みんな見つけたものを見せ合っている。

高校生まで海の近くで育ったオレからすると、全然めずらしくもないものばっかだけど。

まあ、楽しそうだからいいや。

「それはタカラガイっていうんだよ」「これはリンボウガイ。いいの拾ったね」……と、子どものころ父さんに教えてもらった知識《ちしき》を披露《ひろう》してると。

「ねえ、あたしもすごいの見つけちゃった。名前わかる？」

ナミがニコニコしながら歩いてきて、ふくらんだハーフパンツのポケットに手を入れる。

ナミが取り出したのは……10センチほどもある赤茶色のあみ目もようの貝だ。

「何それ、大きい！」

「っていうか中身入ってるじゃん。まだ生きてるよ、これ。」

「うわ、動いてる。ヌメヌメして気持ち悪い〜。」

「水に入れてあげたほうがいいんじゃない？」

みんなは盛《も》り上がってさわいでるけど……オレはあわてた。これはヤバい！

次の瞬間《しゅんかん》、オレはナミの手から貝をたたき落とし、とっさに浜《はま》に落ちていたプラスチックの丼《どんぶり》をかぶせた。こいつに浜《はま》をウロチョロされたら一大事だ。

「これ、アンボイナガイだよ。猛毒《もうどく》があるやつ。ナミ、刺《さ》されてなかったか？」

ナミはピンとこない顔をしている。

「え、貝って刺《さ》すんだっけ？　別に刺《さ》されてないけど。」

「それならよかった！」

とりあえずホッとした。容器《ようき》にとじこめた貝をもう一度よくながめる。

「うん、まちがいない。これはアンボイナガイっていう貝でさ。ほら、この貝のとがったほうからチョロッと細長いのが出てるだろ？　これは歯舌《しぜつ》っていって、毒針《どくばり》みたいなものなんだ。これを魚にぶっ刺《さ》して、魚を丸のみするんだよ。」

「こんなやわらかそうなのに、刺《さ》さるんだね。」

くわしく説明すると、みんな、まじめな表情《ひょうじょう》で聞いている。

「そっかぁ。刺《さ》されなくてよかった。まあ、ポケットに入れてたしね。」

ナミがフーッと息をはいた。ようやく、ことの重大さがわかったみたいだ。

「そこら辺に投げとくわけにもいかないし、管理所に届《とど》けてくるよ。なにしろ人間だって刺《さ》されたら死ぬことがあるんだから。」

さて、こいつを安全に運ばないとな。オレがアンボイナガイにさわらないように気をつけながら丼《どんぶり》に入れてフタをし、輪ゴムを巻《ま》きつけていると。

「あたし、なんかおかしいんだけど……。」

ナミがふるえ声で言いながら、ペタッと座《すわ》りこんだ。

女子たちが心配そうにとりかこんでいる。

あれこれ考えてる時間はなかった。

「救急車《きゅうきゅうしゃ》を呼《よ》ぼう！」


ナミはポケットに猛毒《もうどく》を持つアンボイナガイを入れていたが、「刺《さ》されてはいない」と言っている。彼女《かのじょ》の身にいったい何が起こったのだろうか。

解説《かいせつ》　アンボイナガイ

アンボイナガイは、紀伊半島《きいはんとう》より南に生息する猛毒《もうどく》を持つイモガイ科の貝だ。沖縄《おきなわ》のサンゴ礁《しょう》地帯に多く、浅瀬《あさせ》にいることもある。貝がらの大きさは5〜13センチほど。歯舌《しぜつ》から毒《どく》を注入するが、刺《さ》されたときに痛《いた》みを感じず、すぐに気づかないケースが多いのがやっかいだ。歯舌《しぜつ》は一見やわらかそうだが、ウエットスーツさえ貫通《かんつう》する。ナミはポケットに入れて持ち歩いていたが、生地を通して刺《さ》されたようだ。救急車《きゅうきゅうしゃ》を呼《よ》ぶ判断《はんだん》が早かったため、大事にならずにすんだ。

アンボイナガイに刺《さ》されると30分ほどで患部《かんぶ》が腫《は》れ、しびれが広がる。命にかかわることがあるので、刺《さ》されたとわかったら病院に急ぐこと。応急処置《おうきゅうしょち》は、刺《さ》された場所を切開し、できるだけ毒《どく》を出す。また、呼吸困難《こきゅうこんなん》になっていたら人工呼吸《じんこうこきゅう》をする。

もようがきれいな貝を見つけても、むやみにさわるはやめよう。海の中で刺《さ》された場合、ショック症状《しょうじょう》を起こしておぼれる危険《きけん》もあるのだ。

40

美しいタコ

危険《きけん》→なぜ？

オレは黄色の浮《う》き輪でプカプカただよっているソフィアの後ろからそっと近づくと、浮《う》き輪をグッとつかんだ。

「キャッ！　やだぁ！」

ふり向いたソフィアの目は笑っている。両手をめちゃくちゃにバタバタさせ、オレに水しぶきを浴びせかけてきた。

そこにジェームズとキャリーも泳いできて、ソフィアといっしょになってオレを集中攻撃《こうげき》し始める。

「やめてくれ〜！」

オレはおどけて逃《に》げ回る。みんな楽しそうでよかった！

最初はみんなでプールに行く計画だったんだけど、海に行こうと提案《ていあん》したのはオレだ。「水のきれいなビーチを知ってるんだ」って言ったら、みんな食いついてきたんだよね。

ソフィアのほうにもどっていくと、彼女《かのじょ》は最高の笑顔でほほ笑みかけてくれた。

「ダニー、連れてきてくれてありがとう！　すごく楽しいよ！」

……だって。天にものぼる気分だ！

ソフィアは気持ちよさそうに水をけり、スーッとはなれていく。

「ソフィア、あんまり深いとこ行っちゃダメだよ。泳げないんだし。」

「いざとなったらダニーが助けてくれるでしょ⁉」

ソフィアがウインクして言った。

「もちろんだよ。」

とは言ったけど、ホントはオレもそこまで泳ぎが得意《とくい》じゃない。あんまり頼《たよ》りにされても困《こま》るんだけど——。

とにかく海では油断《ゆだん》は禁物《きんもつ》だ。

まじめに「もう少し浅いところにもどろう」と言おうとしたとき。

海水の中をのぞいていたソフィアが顔を上げた。

「ねえ、ちっちゃなキラキラのタコがいるよ！　青く光っててすごくきれい！」

「キラキラのタコ⁉」

え。もしかしたら、それは……。オレが「ソフィア、はなれて！」と言うよりも
一瞬《いっしゅん》早く、おそれていたことが起こってしまった。


「あ、いたっ！」

「かまれたのか？」

「うん。タコってかむんだね。知らなかった。でも、そんなに痛《いた》くないよ。」

なんて、ソフィアはニコニコしているけど……。

オレは海に顔をつっこんで、そいつの姿《すがた》を確認《かくにん》した。

手のひらにおさまるくらいの小さなタコの体には、青いもようがくっきり浮《う》かび

上がっている。

まちがいない。

心臓《しんぞう》がバクバクしてきた。

落ち着け。オレが落ち着かなくてどうするんだ！

「ソフィア、念のため、陸に上がって傷《きず》を消毒《しょうどく》しよう。」

オレはジェームズに合図を送ると、ソフィアの浮《う》き輪についているヒモをつかんで全力で泳ぐ。

心配そうにやってきたジェームズの肩《かた》を引き寄《よ》せ、オレはソフィアに聞こえないような小さい声でささやいた。

「ソフィアがヒョウモンダコにかまれた。本人には言ってない。命にかかわる猛毒《もうどく》だ。急いで救急車《きゅうきゅうしゃ》を呼《よ》んでくれ。」

「わかった！」

さすが、つき合いの長い親友だ。ジェームズはオレの意図をすぐに理解《りかい》したらしく、猛《もう》スピードで浜《はま》に向かっていく。

「どうしたの？」

ソフィアは何か感じとったらしいが……オレはなんでもないという顔で言った。

「ひと休みするから、先に売店に並《なら》んでうまいものを買っとけって言ったんだよ。」


ソフィアがかまれたのは猛毒《もうどく》を持つヒョウモンダコらしい。主人公はなぜ、本人にそれを教えなかったのだろうか。

解説《かいせつ》　ヒョウモンダコ

ヒョウモンダコは猛毒《もうどく》を持つタコだ。体は茶色っぽいが、危険《きけん》を感じると青いもようがあざやかに輝《かがや》き出す。これは攻撃開始《こうげきかいし》のサインでもあるから、絶対《ぜったい》に近づいてはいけない。しかし、体長10センチ前後と小さく、青く光る様子《ようす》がきれいなため、つい手を出してしまう人が多い。

ヒョウモンダコにかまれると毒《どく》が回ってしびれや目まいなどが生じ、重症《じゅうしょう》の場合は15分ほどで呼吸困難《こきゅうこんなん》や全身まひなどの症状《しょうじょう》が起こる。ダニーがソフィアに「猛毒《もうどく》がある」と教えなかったのは、恐怖《きょうふ》からパニックを起こすことを心配したためだ。人間は恐怖《きょうふ》にかられると冷静さを失い、わけがわからなくなって暴《あば》れたりすることがある。あせると、泳ぎの上手な人でもおぼれてしまう場合がある。

主人公の好判断《こうはんだん》、またジェームズとの連携《れんけい》プレーのおかげでソフィアはすぐ病院に運ばれ、ことなきを得《え》たのである。

41

タコのぼうし

危険《きけん》↓なぜ？

潮風《しおかぜ》を感じながら、あたしは海をながめてる。

「どう？　海辺の美少女って感じに撮《と》れた？」

岩からピョンと飛びおりると、メイがスマートフォンを半笑いで差し出してきた。うーん、残念ながらあんまり絵になってないな。

パパと釣《つ》り仲間のおじさんたちが「海釣《うみづ》りに行くからいっしょにおいでよ」「新《しん》鮮《せん》なお魚食べ放題だよ」って言うから、妹のメイといっしょについてきたけど。

全然釣《つ》れなくってておもしろくな〜い！

というわけで、早々《そうそう》に釣《つ》りざおをほうり出したあたしたちは、ぼんやりお昼の時間になるのを待ってるところ。

あ〜あ、こんなことなら友だちと買い物に行くほうに参加すればよかった。今ごろみんな、オシャレなカフェで写真撮《と》って、ネットにアップしたりしてるんだろうなぁ。


ぼんやりしてたら、足もとを何かがすりぬけていった。

「あ！」

ネコが、バケツからイワシを１匹《ぴき》くわえて逃《に》げていく。

「へえ〜、ネコってホントにお魚好きなんだね。」

メイが感心したように言う。

バケツ見張《みは》っててって言われたのに、こんなにあっけなくやられるとは。ネコのこと、ナメてたなぁ。それにしてもたいくつ……。

「見て、お姉ちゃん、あの人すごいよ！」

メイが指さすほうを見ると、大きな魚をうでいっぱいにかかえてる人がいる。なんの魚かわかんないけど……あんなの釣《つ》り上げるってすごいことなんだろうな。周りの人たち、写真撮《と》りまくってるし。パパもああいうハデなの釣《つ》ってきたらおもしろいのに！

そういえばこの中、何入ってるんだろう。

クーラーボックスを開けてみると……。

「タコだぁ！」

メイは歓声《かんせい》を上げると、しゃがみこんで頭をそーっとさわった。

「うわ〜ヌルヌルする！」

タコはうでをクーラーボックスのヘリにかけてうねうね動き出した。

「ヤバい、逃《に》げようとしてるんじゃない⁉」

逃《に》がしたら怒《おこ》られちゃう！　タコの足をつかんでクーラーボックスの中にもどそうとしたけど、うまくいかない。よし！

あたしは思いきってタコの頭をつかんで持ち上げた。けっこう重い。

そして、まじまじとタコの顔を見つめた。タコって変な顔してるよねぇ。

「お姉ちゃん、墨吐《すみは》かれちゃうかもよ⁉　タコって危険《きけん》にあったとき、墨《すみ》を出すんじゃなかった？」

メイはケラケラ笑っている。

「そうだ！　メイ、記念写真撮《と》ってよ。タコとのツーショット！」

「うん。あとであたしも撮《と》って！」

持ち上げたタコの頭をなるべく顔の横に近づけようとしたら。タコが足を顔にのばしてきた。吸盤《きゅうばん》が顔にベタッとはりついて……やだぁ、引っぱっても取れない！

「メイ、タコ取るの手伝ってよ！」

タコはついにあたしの頭の上に乗ってしまった。

「あはは〜お姉ちゃん、タコがぼうしみたいになってる。ちょっと待ってね！」

「ちがうの！　写真を『撮《と》る』のはやめ！　これ取ってって言ってんの！」

目に足がニュルッとたれ下がってきて……気持ち悪い。

「あ、いたた！」

頭に鋭《するど》い痛《いた》みが走った。

続いて、顔に生温かい液体《えきたい》が流れてきた。

それをぬぐった手のひらは……真っ赤だった。

タコに頭に乗っかられてしまった主人公の身に、いったい何が起こったのだろうか。

解説《かいせつ》　タコのクチバシ

タコの口はどこか知っているだろうか？　墨《すみ》を吐《は》くのは口ではない。あれは「漏《ろう》斗《と》」という墨《すみ》や水を吐《は》き出す器官である。

じつはタコの口は、8本の足の真ん中にある。タコの体は骨《ほね》がなくグニャグニャでやわらかいが、その口は鳥のようにじょうぶなクチバシで、カニや貝のカラなどをかみくだいてしまう。タコに乗っかられた主人公は、頭をタコにかまれてしまったわけなのだ。2枚《まい》のクチバシのうち、下はフックのようなL《エル》字型《じがた》をしており、獲《え》物《もの》に穴《あな》を開けてガッチリ食いこむ。生きたタコを持つ場合は、頭部をつかむこと。手やうでの上に座《すわ》らせて持ったりするのは厳禁《げんきん》だ。

また、多くのタコは、唾液《だえき》に獲物《えもの》をまひさせる毒《どく》がある。主人公がかまれたマダコも毒《どく》があり、傷《きず》が治ってもしばらく痛《いた》みや腫《は》れが残ったという。タコの中で命にかかわるほどの猛毒《もうどく》があるのはヒョウモンダコのみだが、ふざけてタコに手を出さないことだ。

42

うまい魚にはトゲがある

危険《きけん》→なぜ？

「オニオコゼ、こんなに釣《つ》れたんだ。すごいな。」

マルイ先輩《せんぱい》が、オレの足もとのバケツをのぞいて目を輝《かがや》かせた。

先輩《せんぱい》がほめてくれたから、ミノダとマキハラも乗り出してきた。

「高級食材って言われてるし、一度釣《つ》ってみたかったんですよね。」

「オレも釣《つ》ったんですよ～。」

「っていうか、キャプテンが前にオニオコゼを釣《つ》ったっていう場所に連れてってくれたおかげですけどね。」

オレは正直なところを話した。きょうは大学の釣《つ》りサークルの仲間、20人ばかりで船釣《ふなづ》りに来ている。卒業生も参加していて……っていうか、そもそも船舶免許《せんぱくめんきょ》を持っているキャプテンがいなければ、こうして船の上で釣《つ》りをするなんて体験はできやしない。マルイ先輩《せんぱい》やサークルの初代部長の「キャプテン」は1年のオレらからすると20歳《さい》も上だが、やさしくて頼《たよ》りになるいい先輩《せんぱい》だ。

マルイ先輩《せんぱい》は目を細めて笑った。

「オニオコゼ、オレにもごちそうしてくれよ。処理《しょり》には気をつけてな。こいつは背《せ》びれのトゲに毒《どく》があるから。」

「もちろん知ってます。まあ楽しみにしててください。」

オレは軍手をはめて、フィッシュグリップ（魚をはさむ道具）を持った。バケツには茶色い岩がゴロゴロ入ってるように見える。ゴツゴツしてて背《せ》びれはギザギザ。オニオコゼは見た目はブサイクだけど、味は上品なんだって。

背《せ》びれのトゲには猛毒《もうどく》がある。深海にもぐったダイバーがオニオコゼをふんで、病院に運ばれたけど手当てが間に合わず亡《な》くなったって話を聞いたことがある。

オニオコゼたちは、バケツの中でまだゴソゴソ動いている。危《あぶ》ないから、まずは背骨《せぼね》をニッパーで折ってきちんと絶命《ぜつめい》させる。

そして、血をぬいたら、いよいよ背《せ》びれのトゲ切りだ。左手でオニオコゼを、トゲが刺《さ》さらないように気をつけて持つ。ニッパーでトゲを1本ずつ、パチンパチンと切り落とす。念のため、背《せ》びれ全体もがんじょうなキッチンバサミで切っておく。

さあ、毒《どく》のあるトゲさえ切っちゃえば、もう安心だ！

オレは、包丁でオニオコゼをさばき始めた。


すきとおるような白身の刺身《さしみ》を口に運ぶと……グロテスクな外見とはうらはらに、あっさりとして上品な味がする。

「これがオニオコゼ？　サイコーにうまいな。」

「これって店で食べたらめちゃくちゃ高いやつだろ？」

「ちょっと湯に通したほうもエビみたいな感じでうまいね。」

マルイ先輩《せんぱい》やキャプテンもおいしそうに食べててうれしい！

みんなが釣《つ》った魚を、船の上で料理して食べるのは最高のぜいたくだ。刺身《さしみ》に天ぷらに、焼き魚。どれもおいしかったが、一番話題になったのはオニオコゼだった。

ああ、最高の一日だった。

いい気分で道具を片《かた》づけていると、突然《とつぜん》キャプテンのどなり声が船の上にひびきわたったんだ。

「おい、だれだ！　オニオコゼをさばいたのは！」

いつも温厚《おんこう》なキャプテンが、今まで見たことのないようなこわい顔で仁王立《におうだ》ちしている。

まさか。オレのさばき方に、何か問題があったのか？

主人公は、毒《どく》のあるトゲをしっかり取りのぞいたはずだ。どこに落ち度があったのだろうか。

解説《かいせつ》　オニオコゼ

主人公は切ったトゲを何本か、船の床《ゆか》に落としてしまっていた。毒《どく》はオコゼが死んだあと、切りはなしたトゲにも残っている。だれかがふんだりさわったりしたらたいへんなことになる。トゲを切るとき、飛び散らないよう注意しなくてはいけなかったのだ。背《せ》びれやトゲは燃《も》やして灰《はい》にするか、飛び出さないように紙で何重にも包んでから捨《す》てるなど安全に処理《しょり》しなければならない。

刺《さ》さったときは、すぐにトゲをぬいて毒《どく》をしぼり出すように傷口《きずぐち》を洗《あら》う。オニオコゼの毒《どく》は熱に弱いので、傷口《きずぐち》を熱いお湯につけたり、熱いおしぼりでおさえるなどの応急処置《おうきゅうしょち》をして急いで病院へ。激《はげ》しい痛《いた》みが出て腫《は》れが広がったり、呼吸困難《こきゅうこんなん》が起こる場合もある。

ほかにもミノカサゴ、ハオコゼ、ゴンズイなど猛毒《もうどく》のトゲを持つ魚は多い。背《せ》びれだけでなく胸《むな》びれや、腹《はら》びれ、尾《お》びれ、エラぶたなどにも毒《どく》のトゲを持つものがある。知らない生物には、むやみにさわらないようにしよう。

43

スッポン料理

危《き》険《けん》→対《たい》処《しょ》？

きょうはおじいちゃんの60歳《さい》の誕生日《たんじょうび》だ。60歳《さい》は「還暦《かんれき》」っていう特別なお祝いをする年なんだって。それで、おじいちゃん、おばあちゃん、パパ、ママとぼくで高級な和食の料亭《りょうてい》に来たんだけど。

スッポンのコース料理を予約していると聞いて、ぼくはイヤな気分になった。

「スッポンってカメでしょ？　やだな、そんなの食べたくないよ。」

「スッポンはおじいちゃんの大好物だからさ。それに、スッポンはカメの仲間だけど、カメとはちがうんだよ。」

パパが言ったけど……。結局はカメの仲間なんじゃないか！

ぼくがだまってたら、お店の人が助け船を出してくれた。

「小学生くらいのお子さんは、スッポンをいやがることがありますからね。おぼっちゃんには、別のメニューを選んでいただいてけっこうですよ。」

それで、ぼくはめでたくマグロの鉄火丼《てっかどん》にありついたんだ。

みんなは一品ずつ運ばれてくるスッポンの料理をちびちび食べてるけど、ぼくはさっさと食べ終わっちゃったんでヒマでしょうがない。

「から揚《あ》げなら食べられるんじゃない？」

おばあちゃんにお皿を差し出されて……から揚《あ》げは、あんまり気持ち悪くなかったから食べてみた。うん、プリプリしてておいしい。

いまさら「おいしい」っていうのもシャクだから、何も言わなかったけどね。

テーブルに土鍋《どなべ》が運ばれてきた。これからスッポン鍋《なべ》を始めるらしい。

いよいよたいくつしてきたんで、ぼくは「トイレ」と言って席を立った。

トイレのあと、広いお店の中をぶらぶらしてたら、大きな水そうがあるのに気づいた。

片方《かたほう》は、魚がいっぱい泳いでる。もう片方《かたほう》は……スッポンだ！

そうか。ここで泳がせといたヤツを料理して出すんだな。

ぼくは水そうの中を泳ぐスッポンをながめた。鼻がとがっててマヌケな顔をしてる。確《たし》かにカメとはちょっとちがう感じだ。全体に平べったいっていうか。

そういえばスッポンって、かみついたら絶対《ぜったい》はなれないって言うよね。

本当なのかなぁ？

ぼくは水そうにちょっと手を入れてみた。

「いてててててて！」

スッポンが右手の中指に食いついた！

あわてて水から手を出したけど……スッポンは、はなれてくれない。

「助けて！」

「あっ、だいじょうぶ？」

お店の人がとんできた。

こんなことを試すなんて、ぼくは大バカだ！　一生スッポンがくっついたままなのか？　ぼくの指は食べられてしまうのか？

主人公はスッポンに食いつかれてしまった。このままでは指を食われてしまうかもしれない。スッポンをはなすにはどうすればいいのだろうか。

解説《かいせつ》　スッポン

スッポンはあごの力がとても強く、一度かみつくとなかなかはなれない。おくびょうで警戒心《けいかいしん》が強いため、危険《きけん》を感じるとすばやく首をのばしてかみついてくる。人は何かにかまれると驚《おどろ》いてつい手をふり上げてしまうが、これは逆効果《ぎゃくこうか》。水から出されるとスッポンはピンチだと思って、よけい必死になるのだ。スッポンに歯と呼《よ》べるものはないが、手をふり回したりすると食いちぎられる可能性《かのうせい》もある。もし手をかまれたら、スッポンごと手を水の中に入れ、手を動かさずにおく。攻撃《こうげき》されないとわかればスッポンはゆっくりはなれていく。お店の人が主人公にこう教えてくれたのでスッポンは無事にはなれ、大きなケガをせずにすんだのである。

スッポンは身近な川や池の、どろの多いところに生息する。日本や中国ではスッポンは古くから食用にされている。うまみとプルプルした食感が人気で、栄養も豊《ほう》富《ふ》。調理する前にはきれいな水に入れて、十分にどろを吐《は》かせておく。

44

3つの証言《しょうげん》

危険《きけん》↓なぜ？

「診療中《しんりょうちゅう》」の札を出すために「大石皮膚科《おおいしひふか》」のドアを開けた大石先生は、朝の8時半だというのに3人の子どもが待っているのを見てちょっと驚《おどろ》いた。そこにいたのはシンタ、カレン、ヒロカ。いずれも近所の小学5年生で、大石先生とは顔なじみだ。

大石先生の顔を見ると、真っ先にカレンが口を開いた。

「先生、あたしたち、ぐうぜん全員同じ症状《しょうじょう》なんです！」

先生は3人を診察室《しんさつしつ》に入れた。

3人には、広い範囲《はんい》で同じような赤い発疹《ほっしん》ができていた。かなりかきむしったようで、赤く腫《は》れているのも同じ。シンタは両うでに、カレンは右うでと右のふくらはぎに。ヒロカは首から胸《むな》もと、そしておなかにも発疹《ほっしん》が出ているという。

「あたしも。でも、かゆくてかゆくて、きのうの夜は眠《ねむ》れなかったんだよ。」

「あたし、かくほど、どんどんかゆいとこが広がったみたいなんだよね。」

先生には、ひと目見ただけで原因《げんいん》がわかった。

「きみたちは全員、チャドクガに刺《さ》されたんだね。」

「チャドクガ?」

カレンはきょとんとして聞き返した。一方、シンタはなっとくした顔つきだ。

「学校を出たすぐのとこに茶畑あるじゃん? 葉っぱの上にフワフワした毛虫がズラーッといっぱいついてたからさ。オレついさわっちゃったんだよ。あれのことですよね?」

「それだよ、シンタくんがさわったのは、チャドクガっていうガの幼虫《ようちゅう》だ。」

「あ……でも、刺《さ》されはしなかったけどな?」

シンタは不思議そうな顔をした。

先生はぶ厚《あつ》い図鑑《ずかん》を持ってきて、チャドクガの写真がのっているページを開く。しまもようで、白っぽい毛でおおわれた毛虫が20匹《ぴき》ほど体を寄《よ》せあっている写真だ。

「チャドクガは毒針毛《どくしんもう》を持っているんだ。毒針毛《どくしんもう》は0.1ミリくらいの目に見えない細い毛だ。『刺《さ》された』って言い方をしたけど、これが皮膚《ひふ》にくっつくだけで炎症《えんしょう》を起こすんだよ。」

「へえ、手にくっついてたんですね。おまえらも、これにさわったのか。」

カレンは首を横にふる。

「さわるわけないじゃん。ていうか、あたしはこんな虫、見たことないですよ。ヒロカは？」

「あたしは……きのう、別のとこで見ました。やっぱり学校の近くなんですけど、そこの家のツバキの葉っぱがやけにボロボロだなって思って近づいて見たら、この毛虫がいっぱいくっついてました。気持ち悪いから、すぐはなれたけど。」

「じゃあ、ヒロカも見たけどさわってないってことだよね？　さわらないのに毒針《どくしん》毛《もう》がつくなんて変じゃないですか？」

そのとき、看護師《かんごし》さんがやってきた。

「先生、診察中《しんさつちゅう》すみません。今、どんどん患者《かんじゃ》さんが来てまして。ちょっとこちらへお願いできませんか？」

「ごめん、ちょっと待っててね。」

大石先生は診察室《しんさつしつ》を出て待合室の様子《ようす》を見に行き、すぐにもどってきた。

そして3人の前に座《すわ》って、言ったのだ。

「待合室はきみたちと同じ患者《かんじゃ》さんでいっぱいだよ。これからもっと増《ふ》えるかもしれないな。きのうは風が強かったからね……。」


チャドクガにさわったシンタ、見てもいないカレン、見たがさわってはいないヒロカ。先生は「3人ともチャドクガに刺《さ》された」と言うが、さわらないのに刺《さ》されることがあるだろうか。

解説《かいせつ》　チャドクガ

チャドクガは、茶の木やツバキ、サザンカなどにつくドクガの一種。卵《たまご》も幼虫《ようちゅう》(毛虫)も、サナギも毒針毛《どくしんもう》だらけ。幼虫《ようちゅう》は体長2.5～3センチくらいで、1匹《ぴき》に50万本もの毒針毛《どくしんもう》が生えているとされる。成虫(ガ)になると飛び回りながら、おしりについた毒針毛《どくしんもう》をまき散らすのだ。

目に見えないほど細い毒針毛《どくしんもう》が皮膚《ひふ》につくと炎症《えんしょう》が起こる。毒針毛《どくしんもう》は風に乗って飛んでくるので、知らないうちに「刺《さ》される」ことがあるのだ。刺《さ》されて2～3時間後にかゆみが出始め、かきむしると毒針毛《どくしんもう》はさらに広がってしまう。かゆみや腫《は》れは、ぬり薬や飲み薬により数日から2週間ほどで治る。

ドクガは種類《しゅるい》がとても多いので、毛虫を見かけてもさわらないこと。もしさわってしまったら水で洗《あら》い流したりガムテープで取りのぞこう。ドクガは何年かに一度、大発生することがある。幼虫《ようちゅう》になってしまうと駆除《くじょ》がむずかしいので、大発生した地域《ちいき》では卵《たまご》の段階《だんかい》での発見に努め、注意を呼《よ》びかけている。

45

ご近所のイノシシ

危険《きけん》↓なぜ？

いっしょに登下校してるナルミの委員会が終わるのを待ってたせいで、ちょっと遅《おそ》い時間の帰り道。

畑のあたりを通りかかったとき、ナルミが言ったんだ。

「あれっ、今横切ったの……ネコにしては大きかったな。タヌキかも？」

「え！　あたし、タヌキ見たことない！」

あたしたちはしのび足でそっと、畑のはじっこの草やぶに足を進めた。

すると、そこにいたのは——。

うそ！　ウリ坊《ぼう》だ。2匹《ひき》いる！

あたしはナルミと顔を見合わせ、小声で同時につぶやいた。

「かっわい〜い。」

日が落ちかけてうす暗い中でも、ウリ坊《ぼう》のつぶらな瞳《ひとみ》がこっちを見上げているのがよく見えた。

「イノシシの子どものことを『ウリ坊《ぼう》』って呼《よ》ぶのは、体のしまもようが野菜のウリに似《に》てるからなんだって。」

「めちゃくちゃかわいいよね。連れて帰りた〜い。飼《か》えないのかな？」

「え？　だって、すぐ大きくなっちゃうでしょ？　大人は100キロくらいになるらしいよ。」

「うわ、そんなの無理。」

2匹《ひき》のウリ坊《ぼう》は、鼻の先で土をほじくり始めた。

「おなかすいてるのかな。ウリ坊《ぼう》って何食べるんだろう？」

「なんか食べ物持ってない？」

「あたし、お菓子《かし》持ってるかも。」

あたしとナルミがバッグを探《さぐ》っていると。

「あんたたち、何してんの？」

声をかけてきたのは、農家のおじさんだった。

「ここにウリ坊《ぼう》がいるんです。」

おじさんはけわしい顔であたしたちを追いはらうような手つきをした。

「ダメだよ、イノシシに近寄《ちかよ》ったりしちゃあ。」

「え、でもこんなに小さいし。まだ赤ちゃんじゃないですか？」

おじさんはあたりを見回しながら、さらに強い口調で言ったんだ。

「だから、危《あぶ》ないんだよ。さあ、早く帰りなさい。」


主人公たちが見つけたのは、まだ小さいイノシシの赤ちゃんだ。おじさんの「だから、危《あぶ》ない」という言葉にはどのような意味があるのだろうか。

解説《かいせつ》 イノシシ

イノシシはどちらかといえばおくびょうな動物だ。しかし、身の危険《きけん》を感じたときには攻撃的《こうげきてき》になるので、出会ったら刺激《しげき》しないこと。そして、子どもの近くには母親がいる可能性《かのうせい》が高い。母イノシシが、わが子を守るためにおそいかかってくる危険性《きけんせい》がある。これは多くの野生動物に共通すること。かわいいからといって、動物の赤ちゃんにかまわないようにしよう。大人のニホンイノシシは体長100～170センチ、体重80～180キロほどになる。自動車なみのスピードで走れるので、体当たりされたら大ケガをする。オスには鋭《するど》いキバもある。

野生のイノシシは、北海道や東北をのぞく日本全国に生息する。かつてイノシシは山奥《やまおく》にいたが、林業の衰退《すいたい》にともない、草木が伸《の》び放題になった人里に近い場所に身をかくせるようになった。そのため、田畑を荒《あ》らす被害《ひがい》が増《ふ》えている。雑食性《ざっしょくせい》で、イネやタケノコ、サツマイモ、クリ、ダイズなどが好物。人間の目を避《さ》けて夜に活動することが多いが、もとは夜行性《やこうせい》というわけではない。

46

山のドングリ

危険《きけん》↓なぜ？

T《ティー》県のおじいちゃんとおばあちゃんは、とっても自然豊《ゆた》かなところで暮《く》らしてる。おじいちゃんから届《とど》くダンボール箱には珍《めずら》しいものがいっぱい入ってて、いつも開けるのが楽しみなんだ。

春にはワラビとかゼンマイとかの山菜。竹の皮がついたタケノコはびっくりするほど大きかったな。ママが「これ、スーパーで買ったら高いのよ」ってうれしそうにしてた。

イガがついたまんまのクリも送ってもらうまで見たことなかった。いくつかとっておいて部屋にかざってあるんだ。

おじいちゃんたちは、農家をやってるわけじゃない。こういうの全部、近くの山とか……おばあちゃんの言い方だと「そこらへん」でとってくるんだって。すごくない？

特に楽しみにしてるのは、毎年秋に送られてくるいろんなキノコのつめ合わせ。太くて大きいキノコ、ちっちゃいの、細長いの……。それにしても、山にキノコがどうやって生えてるか想像《そうぞう》つかなくて。

「あたしもキノコ狩《が》りに行ってみたい」って、言ってたら。今年は、パパのお休みの予定が合って、家族みんなでおじいちゃんとこに行けることになったの。図書館で、キノコの本とか借りて勉強してたんだけどさぁ。

キノコ狩《が》りの約束してた1週間前におじいちゃんからパパに電話がかかってきてさ。横にはりついてたら、パパがあたしのほうを見て言った。

「今年はキノコ狩《が》り、ダメなんだってさ。」

え、なんで⁉

あたしは、パパのスマホをうばって電話に出た。

「もしもし、おじいちゃん、あたしだよ。ねえ、なんでキノコ狩《が》りに行けないの？

今年はキノコが育ってないの？」

おじいちゃんは、急にあたしが出てびっくりしたみたいだったけど。一言ずつかみしめるように話す調子で、あたしはおじいちゃんが今、大事なことを言ってると思ったんだ。

「いや、そういうわけじゃない。今年は、山のドングリがかなり不作らしいんだ。だから、山に入るのは危険《きけん》なんだよ。」

ドングリが育たないと、なぜ山に入るのが危険《きけん》なのか想像《そうぞう》してみよう。おじいちゃんは何をおそれているのだろうか。

解説《かいせつ》　クマ

クマは山地や森の中に住んでいる。雑食性《ざっしょくせい》で、植物性《しょくぶつせい》のものを多く食べる。主に食べるのは木の芽や葉っぱ、果物、昆虫《こんちゅう》など。冬眠《とうみん》する前の秋は、栄養価《えいようか》の高いドングリが重要な食べ物だ。食べ物が少ないと山を下りて、人間の生活エリアまで行《こう》動範囲《どうはんい》を広げてくるのだ。クマは日本の国土の約4割《わり》に生息しており、各地で「ドングリが不作の年は、クマ出没《しゅつぼつ》に要注意」と呼《よ》びかけている。実際《じっさい》に、キノコ狩《が》り中の人がクマにおそわれる事件《じけん》がときどき発生している。

クマは鋭《するど》いツメとキバを持つ上に足が速く、木登りも泳ぎも得意《とくい》。しかし、性格《せいかく》はおくびょうだ。話し声やにおい、足音などによって人間の気配を感じると、クマのほうで出くわさないように避《さ》けるといわれる。クマがいる可能性《かのうせい》のある山林を歩くときは、話し声を出して「人間がいること」をアピールするといい。腰《こし》やリュックサックに鈴《すず》をぶら下げておくのも有効《ゆうこう》だ。とはいえ、地域《ちいき》のニュースに気を配り、目撃情報《もくげきじょうほう》や注意勧告《ちゅういかんこく》があったら、その場所には近寄《ちかよ》らないことが一番である。

47

あいつもクリが好き

危《き》険《けん》↓なぜ？

イガがパックリと割《わ》れた中から顔を出すクリの実はまるまると太って、なんともおいしそうだった。

「すげー、こんなにいっぱい！　取り放題じゃん。」

「これ、焼いて食べたら最高だよな！」

しばらく変化のない山道が続いて、ちょっとたいくつしていたところ。ふんだんにクリが落ちている場所に行き当たったから、みんなはいっせいに盛《も》り上がった。

オレは小さいころから親に連れられてよく山登りをやってるけど、いっしょに来たマサヤ、タツキ、カンタはほぼ初めてだ。大学生になって、ようやく親から「友だちだけで泊《と》まってもいい」という許可《きょか》を得《え》たんで、幼《おさな》なじみをさそってやってきたわけ。

「イガがあんまり開いてないやつは、くつでふむといいよ。トゲでケガしないように気をつけて。」

「お、そうか。さすが、なんでもよく知ってんな。」

イガからクリを取り出すのに夢中《むちゅう》になって、オレもみんなもしばらくだまりこんでいた。あとから考えると、これがよくなかったのかもしれない。静かにしすぎたことが——。

ぼちぼちテントを張《は》る場所を探《さが》しに、移動《いどう》したほうがいいな。

みんなに声をかけようと顔を上げたとき、だれかが「あっ」と小さい声を上げた。

全員が息をのんで立ちつくし、そいつを見つめる。

いつのまに現《あらわ》れたんだろう⁉

黒いかたまりのように見えるそれは——クマだ！

クマが座《すわ》りこんで、カンタのリュックサックに頭をつっこんでいたんだ。

「お、おい……どうする。」

カンタが真っ青な顔でささやいた。

クマとオレたちの間には、幸い7～8メートルほど距離《きょり》がある。

いや、もちろん安全な距離《きょり》じゃないことくらいはわかってる。

えーと、こんなとき……どうすればいいんだっけ。前に、本で「クマに会ったらどうするか」読んだことがあったじゃないか。思い出すんだ！

「落ち着け。大きい声は出すな。絶対《ぜったい》に走るな。走ると追いかけてくるから。」

小声で言うと、みんな真剣《しんけん》な顔でうなずく。

「死んだふり……するとか？」

マサヤがふるえ声で言った。

「それはやっちゃダメだ。いいか？　クマをにらみつけて……ゆっくり後ずさりするんだ。背中《せなか》を向けないで。そう、ゆっくりだ。」

クマはリュックサックから顔を出して、こっちを見ている。

オレは目に力をこめ、心の中で念じる。

いいか、オレたちはおまえより強いんだ。こっちからは攻撃《こうげき》しないから、おまえもおとなしくするんだ。山奥《やまおく》へ帰るんだ……。

後ろを向いて全速力で走り出したくなる衝動《しょうどう》と戦いながら、オレはクマをにらみ、一瞬《いっしゅん》たりとも目をはなさずにジリジリと後ろに足を運ぶ。


こんな状況《じょうきょう》で、だれもパニックを起こさなかったのは奇跡的《きせきてき》だった。

クマは、リュックサックの中のクリをむさぼり食い、カラを吐《は》き出したりしていたが、しばらくすると背《せ》を向けて茂《しげ》みの向こうにのっそりと去っていったんだ。


「助かった……。」

「ふう〜。マジで死ぬかと思った……。」

全員、腰《こし》がぬけたように座《すわ》りこんだ。

はぁ……なんとかうまくいった。でも、これで安心するわけにはいかない。

「とにかくテント泊《はく》は中止だ。早く山を下りよう。クマが出たことを管理所に知らせなくちゃ。」

「わかった。」

みんなはフラフラしながら立ち上がり、それぞれに荷物を手に取る。

ああ、そうだ……。ここはしっかり言っとかなくちゃ。

「カンタ、そのリュックは置いてってくれ。」

「え、なんでだよ? このリュック、買ったばっかだし高かったんだぜ。」

カンタは不満そうな顔をした。

「うん。だけど……命にはかえられないだろう?」


カンタがリュックサックを置いていかなければ、みんなが命の危険《きけん》にさらされるという。主人公の言葉は何を意味しているのだろうか。

解説《かいせつ》　クマに出会ったら

主人公がカンタにリュックサックを置いていくように言ったのは、クマがそのリュックサックに顔をつっこんでいたためだ。クマは一度「自分の獲物《えもの》」と認識《にんしき》したもののにおいをよく覚え、こだわりを持つ。主人公たちが山を下りても、一度顔をつっこんだリュックサックを求めて追ってくるかもしれない。リュックサックがなくなっていれば、そのにおいをたどって探《さが》しに来るかもしれないのである。

万が一クマに出会ったとき、どうすればいいか。やってはいけないのは、大声を出す、手をふり回す、何かを投げつけるなど。クマは「攻撃《こうげき》される」と感じると、おそいかかってくる。走って逃《に》げるのも絶対《ぜったい》にダメ。逃《に》げるものを追いかけるのは多くの動物の習性《しゅうせい》だ。追われたら、逃《に》げきれる可能性《かのうせい》はまずない。また死んだふりをすると、好奇心《こうきしん》から寄《よ》ってくる場合がある。

クマは、じつは気が弱い動物だ。出会ってしまったら、落ち着いてクマを見つめながら（背中《せなか》を向けずに）後ずさりし、ゆっくりはなれることだ。

48

消えた足あと

危《き》険《けん》→なぜ？

突《とつ》然《ぜん》降《ふ》ってきた雨に打たれながら、オレたちは休まず歩き続けていた。

クマに出くわしたときは死ぬかもしれないと思ったんだ。そんなあとじゃ、雨に降《ふ》られるくらいどうってことない。

「１頭いたってことは、ほかにも仲間がいるかもしれない。なるべく見通しのいい道を歩こう。」

オレたちは、できるだけ話し声がとぎれないように意《い》識《しき》してしゃべりながら歩いた。クマを避《さ》けるには大きい声を出したほうがいいらしいが、もうオレたちは一回出会ってしまっている。あまり大声だと、刺《し》激《げき》することになるかもしれないと思って、ほどよい音量の声を出すようにした。クマは耳もいいらしいし。

「待った。これ、もしかして……。」

一番後ろを歩いていたタツキが地面を指さしている。

「立ち止まるなよ。のんびりしてるわけにいかないんだから。」

しかし、タツキは動かずに、足もとをじっとながめている。

しょうがないなぁ。いったい何を見つけたっていうんだよ。

「あ、これは……。」

雨でやわらかくなった地面に、手のひらくらいの大きさの足あとがくっきり残っていた。５本の指と、ツメのあと。

「クマの足あと……なのか？」

オレたちが今歩いているこの場所を、クマが通ったのだと思うと背《せ》すじがゾッとした。それも雨が降《ふ》り出したあとだから、それほど時間はたってないんだろう。

つまり、あいつは遠くないところにいるってことだ。

タツキは、足あとをたどって歩いていく。

「やめろよ。」

クマがどっちに行ったのか確《たし》かめたい気持ちはわかるが、危険《きけん》すぎる。

「だけどさ、おかしいんだ。ここで足あとが急になくなってるんだよ。」

近寄《ちかよ》って見ると、確《たし》かに……はっきりついていた足あとがとちゅうで消えている。考えることはみんな同じで、全員いっせいに上を見上げたが、ここには登れるような木はない。

すると、消えた足あとの延長線上《えんちょうせんじょう》を用心深く観察していたマサヤが口を開いた。

「この先はガケだ。きっとあいつはここから下に落ちたんだよ。」

「なんだ、そうか。」

みんな、ホッと安心した顔になる。いやいや、ちょっと待て！

「でも、足あとが消えたところからそこまで3〜4メートルはあるだろ？　落ちたんなら、ガケのきわまで足あとがないとおかしいじゃないか。」

「ジャンプしたんじゃないか？　クマならこのくらいひとっ飛びだろ。」

そこまでふつうの歩幅《ほはば》で歩いてたのに、急にジャンプしたりするかなぁ？

でも、U《ユー》ターンしてもどってきた足あともないわけで。だんだんマサヤの説が正しいような気がしてきた。

「おい、おまえたち。何をウロウロしてるんだ。」

急に声をかけられてふり向くと、銃《じゅう》をかついだおじさんが立っていた。

おじさんは、オレたちのそばに来ると、消えた足あとをながめて言ったんだ。

「いっしょに行こう。ぼやぼやしてると危《あぶ》ないぞ。クマはすぐ近くにいる。」


足あとはとちゅうで消えているのに、おじさんは「クマがすぐ近くにいる」と確信《かくしん》している。この足あとは何を意味しているのだろうか。

解説《かいせつ》　止め足

道のとちゅうで足あとを意図的に消す——これは「止め足」というテクニックだ。自分のつけた足あとの上を後ろ歩きでたどってもどり、ジャンプして茂《しげ》みの中に身をかくす。クマは猟師《りょうし》に追われたりしたときに、「止め足」で追っ手の目をくらましておき、予想外の方向から出てきておそいかかることがあるという。止め足は、クマ以外の動物も使うことがあるそうだ。

野外で動物の足あとを見つけても、おもしろがって追跡《ついせき》するのはやめよう。

主人公たちが出会ったおじさんは、ほかの登山客からクマの目撃情報《もくげきじょうほう》を聞いてやってきた地域《ちいき》の猟友会《りょうゆうかい》の人だ。全国にある猟友会《りょうゆうかい》は公《おおやけ》に狩猟《しゅりょう》を許可《きょか》された団体《だんたい》で、害獣《がいじゅう》の駆除《くじょ》のほか、希少な鳥や動物の保護《ほご》・捕獲《ほかく》なども行っている。

主人公たちは、山をよく知っている頼《たよ》りになるおじさんの助けで、無事に山を下りることができたのだ。

49

いつかマンガで見たシーン

危険《きけん》→対処《たいしょ》？

あとから考えれば、もっと注意深く行動するべきだったんだ。もう、大学生なんだし。道のとちゅうで、「マムシ注意」って書いた看板《かんばん》を見たとき、「マムシだって！」「ヤバーい、マムシって毒《どく》あるんだっけ？」なんてさわいだけど、本気で気をつけようとまで思わなかったんだよ。

看板《かんばん》は古かったし、このあたりでヘビなんて見たことないし。

紅葉《こうよう》の美しい森林公園にハイキングにやってきたあたしたちは、とりあえずうかれてた。川がチョロチョロ流れてる落ち着いた場所を見つけて、ひと休みすることにしたんだけど。

カナデが赤や黄色の枯《か》れ葉を集めてきて、「この上に座《すわ》るとふかふかして気持ちいいよ」と言うと、みんなマネし始めた。

だれがかまれてもおかしくなかったんだ。あたしだった可能性《かのうせい》だってある。

「痛《いた》い！」

ルリが、不意に金切り声を上げた。見ると、枯《か》れ葉の山の中から茶色いヘビが頭を出してたんだ……。

「もしかしてマムシ？」

「え、ちっちゃいじゃん。マムシってこんなの？」

見たところ50センチくらいのヘビは葉をかき分けてガサゴソ逃《に》げていく。

カナデが言いにくそうに口を開く。

「たぶんマムシだよ。あたし、おばあちゃんちでマムシ酒っていうの、見たことある。あれと柄《がら》が同じだったもん。」

もうガマンしきれないというように、ルリが泣き出した。

「やだ、こわい……。ねえ、どうなるの？　あたし死んじゃうの⁉」

そうだ……確《たし》かこんな場面、マンガで読んだことある。

主人公の女の子が山でヘビにかまれちゃって。そうすると、いっしょにいた男の子が傷口《きずぐち》から毒《どく》を吸《す》い出してあげるんだ。

やるしかないよね！

ひざをついて、ルリの足首を見ると2つの小さなかみあとがあった。

「ルリ、毒《どく》を吸《す》い出すよ。」

そう言って、ルリのそばに座《すわ》りこむと。

「それ、やっちゃダメ！」

ユイがあたしの肩《かた》をつかんで引きはなしたんだ。


主人公は、ルリを助けるために傷口《きずぐち》から毒《どく》を吸《す》い出そうとしている。ユイはどのような理由でそれを止めたのだろうか。

解説《かいせつ》　毒《どく》のあるヘビ

毒《どく》ヘビにかまれた傷口《きずぐち》から毒《どく》を吸《す》い出すシーンをマンガやドラマなどで見たことのある人がいるかもしれないが、ユイはこれはまちがいだと知っていた。吸《す》い出す人の口に傷《きず》があった場合、ここから毒《どく》が入りこむ危険《きけん》があるのだ。

マムシのように毒《どく》を持つヘビにかまれた場合の応急処置《おうきゅうしょち》は、まず傷口《きずぐち》から心臓《しんぞう》に近い方を軽くしばって体に毒《どく》が回るのを遅《おそ》くする。きつくしばりすぎてはいけない。次に、手で傷口《きずぐち》から血をしぼり出すようにし、水で洗《あら》い出す。そして、すぐに病院に行くこと。走ったりして心臓《しんぞう》の拍動《はくどう》が上がると、毒《どく》が回りやすくなってしまうので、あわてず落ち着いて。傷口《きずぐち》が腫《は》れても冷やしてはダメ。

マムシは北海道から九州までの田畑や山林、草むらなどに生息する。体長45〜70センチほどで太短い。茶色、黒っぽいものなど、種類《しゅるい》により色はさまざまだ。何もしないのにおそってくることはないが、うっかりふんづけたり、近づきすぎるとかまれることがあるので、マムシのいそうな場所では注意が必要だ。

50

全方位的に注意せよ

危険《きけん》↓なぜ？

ぼくが大学の友人たちと沖縄《おきなわ》の本島からかなりはなれた西表島《いりおもてじま》にやってきたのは、特別天然記念物のイリオモテヤマネコに会うためだった。

今や、イリオモテヤマネコはかなり数が少なくなっているそうで、遭遇《そうぐう》できる可《か》能性《のうせい》は低いとわかっていたけど。でも、幻《まぼろし》の動物を探《さが》すのってロマンがあるじゃないか。だから、見つからなくてもそんなにガッカリはしなかったんだ。

イリオモテヤマネコは夜行性《やこうせい》だ。ぼくたちは懐中電灯《かいちゅうでんとう》を手に、日が落ちた夜の森を歩き続けた。

そのとちゅうで、ぼくはあることに気づいてしまったんだ。

「ここ、沖縄《おきなわ》だし……もしかしてハブがいたりするんじゃないか?」

みんなは一様にイヤな顔をした。

「そういえば……そうだな。」

「でも、ここまでヘビなんか一匹《ぴき》も見なかったしな。だいじょうぶだろう。」

そうは言ったものの、急に不安になってきた。

ヘビの多くは茶色や黒っぽい色で、土や落ち葉にまぎれて見えにくい。もしふんづけたら? 怒《おこ》ってかみつかれるだろう。ハブは猛毒《もうどく》を持ってるんだよな……。

心なしか、全員急ぎ足になっている。みんな、不安なんだ。

ここは前向きに……ちゃんと警戒《けいかい》しながら歩かなくちゃ。

ぼくは、長い木の枝《えだ》を拾い上げた。

「こうやって、草むらをガサガサやりながら歩こう。そうすれば、ヘビもどこかへ行ってくれるはずだ。」

「そうだな。そうしよう。」

みんな、たちまちぼくのマネをして枝《えだ》を拾う。

「でも、『やぶをつついてヘビを出す』ってことわざもあるし。あんまり強く地面をたたかないほうがよさそうだ。」

正直なところ、もうハブで頭がいっぱいになってしまって、イリオモテヤマネコを探《さが》すどころじゃなくなっていた。

森をぬけ、広い道に出るとみんなはホッとした顔になった。

さあ、あとは飯を食って寝《ね》るだけだ！

緊張感《きんちょうかん》でどっと疲《つか》れたけど、みんなでワイワイやりながら料理を作るのは楽しみだ。

予約しておいた山小屋は古びているが、昔話にでも出てきそうな風情《ふぜい》でなかなか味がある。管理所で受け取ったカギでドアを開けると、なつかしいようなにおいがした。

「あれ、電気のスイッチってどこだ？」

「こっちの壁《かべ》にはないぞ。」

ヒモを引っぱって電気をつけるタイプのやつなのかなと思って、ぼくは懐中電灯《かいちゅうでんとう》で天井《てんじょう》を照らした。

そのとき……ぼくは目をみはった。

「みんな、外へ出ろ！」


天井を見上げた主人公は、何か危険《きけん》なものを見つけたようだ。それは何だろうか。

解説《かいせつ》 ハブ

主人公が天井《てんじょう》を照らすと、太いはり（柱と柱の間にわたされた材木）の上にハブが体をのばしていたのだ。主人公たちがあわてて管理所へ走ると、管理所のおじさんはハブを駆除《くじょ》する強力なスプレーを持ってきて、撃退《げきたい》してくれた。

主人公たちは足もとに注意していたが、ハブは頭より少し高いくらいの木の上から突然《とつぜん》姿《すがた》を現《あらわ》すことがある。ハブ以外にも木の上を好むヘビはいるので、ヘビが出る地域《ちいき》では頭の上にも気をつけよう。またハブは夜行性《やこうせい》で暗いところが好きだ。人家に入りこみ、天井《てんじょう》の近くや床下《ゆかした》にひそんでいることも多い。

日本に生息するヘビの中でも最大といわれるハブは体長1～2メートル。体は黄がかった茶色で、くさりのようなもようがある。三角形の頭が特徴《とくちょう》的だ。俊敏《しゅんびん》で、思わぬ方向から攻撃《こうげき》してくるおそれがある。強い毒《どく》を持つので、かまれたら早い処《しょ》置《ち》が必要だ。応急処置《おうきゅうしょち》、対処《たいしょ》についてはマムシ（248ページ）と同じだ。まさかのときのために覚えておこう。

参考文献

『講談社の動く図鑑ＭＯＶＥ危険生物』小宮輝之／監修（講談社）
『ポプラディア大図鑑ＷＯＮＤＡアドベンチャー　最強の生物』成島悦雄／監修（ポプラ社）
『大自然のふしぎ　動物の生態図鑑』今泉忠明／監修（学研プラス）
『あぶないいきもの　野外の危険生物、全ご紹介。』今泉忠明（自由国民社）
『世界の不思議な毒をもつ生き物』マーク・シッダール（エクスナレッジ）
『子どもと一緒に覚えたい毒生物の名前』ふじのくに地球環境史ミュージアム／監修（マイルスタッフ）
『「もしも？」の図鑑　身近な危険生物対応マニュアル』今泉忠明（実業之日本社）
『「もしも？」の図鑑　危険動物との戦い方マニュアル』今泉忠明（実業之日本社）

『危険ＳＯＳ！　外来生物図鑑』加藤英明（世界文化社）
『図解大事典　超危険生物』加藤英明／監修（新星出版社）
『パンク動物記　アフリカの最強生物』パンク町田（ポプラ社）

栗生こずえ

東京都生まれ。小説家、編集者、ライター。マンガを紹介する書籍の編集多数、児童書ではショートショートから少女小説、伝記まで幅広く手がける。「3分間サバイバル」シリーズ（あかね書房）、『トリッククラブ キミは18の錯覚にだまされる!』（集英社みらい文庫）、『かくされた意味に気がつけるか? 3分間ミステリー 真実はそこにある』（ポプラ社）、『ストロベリーデイズ 初恋〜トキメキの瞬間〜』『ストロベリーデイズ 友情〜くもりのち晴れ〜』（主婦の友社）など。『必ず書ける あなうめ読書感想文』（学研プラス）はロングセラーを記録中。

装画　浮雲宇一
協力　金田　妙
装丁　小口翔平＋奈良岡菜摘＋三沢稜（tobufune）

3分間サバイバル
絶体絶命! 危険生物の世界

2021年1月初版　2024年10月第7刷

作　栗生こずえ
発行者　岡本光晴
発行所　株式会社あかね書房
〒101-0065 東京都千代田区西神田3-2-1
電話　営業 (03)3263-0641
編集 (03)3263-0644
印刷・製本　中央精版印刷株式会社

NDC913　255ページ　19cm×13cm

ISBN978-4-251-09615-9

https://www.akaneshobo.co.jp